JN065284

Le Pommier d'Or
27. Fev. MMXVII

Le Pommier d'Or
27. Fev. MMXVII

《黄金の林檎》の樹の下で

アートが変えるこれからの教育

［著］
田窪恭治
高階秀爾
聖心女子大学

［編著］
水島尚喜
永田佳之

三元社

はじめに

聖心女子大学の四号館「聖心グローバルプラザ」には《黄金の林檎 ―Le Pommier d'Or―》と題する大きなモザイク壁画があります。吹き抜けになっているエントランスの正面の壁いっぱい、天井まで枝を伸ばすこの樹には、題名のとおり、黄金に輝く果実が枝からこぼれ落ちるようにたわわに稔っています。不思議なことに、この建物を訪れる誰もが、まるで吸い込まれるようにすーっと樹に近寄っていってしまうのを幾度か目にしてきました。同プラザには《黄金の林檎》を挟んで展示スペースやカフェレストランもあり、どなたでもお越しいただくことができます。ぜひ、足をおはこびください。そして、実際に《黄金の林檎》を直に体験していただきたいと思っています。

かつてＪＩＣＡ（独立行政法人国際協力機構）の広尾センターだったこの建物が聖心グローバルプラザとして生まれ変わり、私が副所長を務める「聖心女子大学グローバル共生研究所」が創設されたのが二〇一七年四月です。グローバル共生に関する教育と研究、社会活動を展開するミッションを担った小さな研究所です。難民問題や気候変動などの地球規模課題のテーマのもとにイベントを開催し、「BE＊hive」（ビーハイブ）と名付けられた展示・ワークショップ・スペースでのパネル展示を通して良質な問いと出会う学びの実現が当初より期待されていました。このことから、壁画の作者である田窪恭治氏に、「グローバル共生」の名にふさわしく「持続可能性」や「多様性」を主題とした作品を依頼することになったのです。壁画の下絵制作に着手された二〇一六年九月から翌年二月の完成までの半年ほどで林檎の樹は徐々に色づき、みるみるうちに大きくなりました。

東京・渋谷区広尾という都心の一角にこうして誕生した《黄金の林檎》という大木は、その壮大さゆえに突如として現れたかのような印象を受けるかもしれませんが、その萌芽は東日本大震災後の東北に見出せます（本書「《黄金の林檎》誕生以前」参照）。田窪氏は《林檎の礼拝堂》をはじめ、いくつもの作品で林檎をモチーフとしてきた美術家です。なぜ今回は赤い林檎ではなく黄金なのか、なぜモザイクなのか、林檎に種はあるのか……。《黄金の林檎》をめぐる問いは尽きません。

本書は、壁画の完成を祝して研究所が主催した「「黄金の林檎」完成記念シンポジウム　自然との共生－古今東西」（二〇一七年六月二三日開催）の報告書をもとに、書き下ろし原稿を加えて編集したものです。田窪恭治氏が制作工程や作品への思いを語った第一章、日本を代表する美術史家・高階秀爾氏が「林檎」というテーマのもとに歴史に残る名作について説き、絵画史上に《黄金の林檎》を位置づけた第二章、本学で造形美術教育を担当する教員の水島尚喜氏が「共生」と「アート」について「子ども」を通して語った第三章、「これからの教育」をテーマとしたパネル討議の第四章に加え、「黄金の林檎」に至るまでの経緯を巻頭コラム「《黄金の林檎》誕生以前」として加筆し、最後に「社会への拡がり」として壁画のもとでおこなわれてきた教育活動を紹介する章も加えました。

聖心女子大学グローバル共生研究所の創設以来、気候変動は気候危機と呼ばれるまでになり、新型コロナウイルスが世界中を震撼させるに至りました。双方ともに人間によるいき過ぎた開発に起因するといわれており、人類の存続に関わる諸問題は深刻化しつづけているのが現況です。ここで、いまいちど《黄金の林檎》を吟味することを通してグローバル共生の原点に立ち戻り、持続可能な未来への道筋を皆さまと一緒に想い描いてみたいと願っております。

永田佳之

Le Pommier d'Or
27. Fev. MMXVII

田窪恭治
《黄金の林檎 −Le Pommier d'Or−》

2017 年
自然石、金箔、耐候性鋼
6×13 m
聖心女子大学、聖心グローバルプラザ

もくじ

《黄金の林檎》の樹の下で

アートが変えるこれからの教育

《黄金の林檎》誕生以前

永田佳之
NAGATA Yoshiyuki

一九九二年二月、「古教会再生への草の根交流：仏・ノルマンディーからの報告」（『朝日新聞』一九九二年二月十三日夕刊）という新聞記事が目にとまった。十六世紀のロマネスク教会が日本人アーティストによって再生されるという記事である。現地からこの「出来事」を報告していたのが田窪恭治氏。遠い国の片田舎にある古教会及びその周辺をまるごと「作品」として蘇らせるために家族とともにフランスに住み着いてしまう……、こんな日本人がいるのかと鮮烈な印象を受けた。後にドイツ文学者・エッセイストである池内紀氏は田窪氏を「その思考と実践のスケールが並み外れている」*と称賛しているが、当時の筆者もあまりにダイナミックな行動力と構想力に心酔した。

その七年後、筆者が在外研究でパリのユネスコ本部に滞在していた折に、当地で暮らす画家の友人夫妻にどうしても観たい絵があると懇願して車を出してもらい、ノルマンディ地方の小さな町、ファレーズを訪れた。村のレストランから田窪氏に電話をしてもらい、翌朝、予告もなしに訪れた私たちを田窪恭治氏は完成間際の《林檎の礼拝堂》へと案内して下さった。なかに入った瞬間、礼拝堂の内と外が融合するかのような不思議な感覚に包まれ、しばらく我を忘れていた。

以来、田窪氏とは香川県の金刀比《ことひ》羅宮《らぐう》の白書院など、さまざまな表現の現場でお会いする機会を得、不惑の歳を過ぎた筆者に大切な気づきを与える作家でありつづけた。

期せずしてプロジェクトをご一緒することになった切っ掛けは東日本大震災後の被災地支援であった。ドイツのＢＡＳＦ社からの支援金をもとにユネスコから被災地の教育支援のための助成を聖心女子大学が受けることになり、陸前高田での被災地支援事業「心に笑顔」プロジェクトが始まった。同事業で田窪氏はアートを通した教育復興の専門家としてユネスコから委託されたのである。

この復興事業の一環として田窪氏が描いたのが、同市内の無住の寺である松月寺に一カ月こもり、被災地への想いをこめて制作した六曲一双の屏風絵《陸前高田の林檎》である（現在は聖心グローバルプラザにあるカフェレストラン La Mensa jasmin［ラメンサ・ジャスミン］に展示）。さらに、当地の教育委員会と交渉を重ね、同市の仮設図書館に「ふらっと広場」を地元の人々や聖心女子大学の学生たちとともに手づくりでつくった。

　この二つの「作品」は田窪氏を聖心女子大学と結びつけ、新生のグローバル共生研究所のシンボルともいえる《黄金の林檎》が誕生する契機となった。ただ、研究所の象徴となるような壁画をつくろうという大学の意思決定がなされてから「黄金の林檎」というモチーフの芽が出るまでには若干の時間を要したことを想い出す。

　「グローバル共生」を標榜する研究所のエントランスに掲げる壁画としてふさわしい「持続可能性」や「多様性」という地球規模の課題を意識してほしい、という無理難題をお伝えしたせいか、田窪氏には戸惑いもあったのかもしれない。* はじめに見せていただいた素描は、教会があり、音楽が奏でられ、若者が集い、動物たちも戯れるという、生きとし生けるものがにぎわう絵であり、観る者を幸福感で満たすであろう微笑ましい着想であった。

　しかし、ご本人はどこかしっくりこなかったようで、しばしの沈黙。その後、登場したのが「黄金の林檎」であった。それは素描からして、突き抜けていた。巨大な壁面に存在する一本の大木には黄金の林檎がたわわに稔り、当初の案とは次元の異なるにぎわいを醸し出し、生命力に漲っていた。まさに特別な存在感を予感させる、大作の素描であった。

　本書でも説明されるように、一般的には、この作品は世界各地の石からできていて、茶色はインド、緑は中国、白はギリシャ、金箔は日本……といった具合に多様性が一本の大木を生み出し、ハーモニアスな共生の世界を象徴する、と説明される。

　しかし、こうした解釈にはどこか物足りなさを感じてしまう。折にふれて田窪氏の作品への想いにふれたことのある筆者にとって、巨大な壁面の制作プロセスはなんでもデジタル記号に要素還元してしまうようなグローバルな時代の趨勢への抗いの表現のように思えるのである。石の塊《かたまり》を砕くとき、何億年という悠久の時間を超えた対話が生まれる。人間や動物の誕生よりも遥か昔の根源との対話である。そこでは果てしない時間の流れを経て現れる無機質な存在に到底かなわない人間の存在が問われてくる。

　昨今、気候危機というグローバルな課題に直面してきた人類は、新型コロナというウイルスによってもたらされた禍《わざわい》に翻弄されるに至った。このままグローバル規模の開発が進めば、人類の存続はますます危くなると言えよう。気候危機もコロナ禍も、我々が依拠する根源に対して芸術家のような対話を経ずに消尽しつづけた結果、不可逆的な事態を招くことになった〈人間の業〉の現れである。警鐘を鳴らすかのごとく誕生した《黄金の林檎》からのメッセージを受け取れるか否かは、私たちしだいなのである。

＊池内紀「田窪恭治―文化顧問の肖像」『こんぴらさん 海の聖域展』図録（発行元：金刀比羅宮、二〇〇八年）より。この評論で、池内氏は「『リンゴの礼拝堂』は田窪恭治が一人で『バウハウス』をやってのけた」と評している。

《黄金の林檎》ができるまで

—Le Pommier d'Or—

田窪恭治
TAKUBO Kyoji

《黄金の林檎》の成り立ち

《黄金の林檎》の制作依頼を受けたのは、二〇一六年六月のことです。作品が置かれるのは聖心グローバルプフザとして新しく生まれ変わる予定の建物で、そこにはグローバル共生研究所が入ることから、「共生」「持続可能性」「多様性」を象徴するような作品を、というリクエストがありました。そこで、私なりにいろいろ考えながら下絵をくり返していたのですが、なかなか上手くいかない。かなり大きな仕事になるし、遺っていくものでもある。聖心女子大学の、言ってみれば大学教育というものの象徴のようなものにもなると思って、私らしくなく、考えすぎてしまった。

私は、この歳になるまで、〝頭で考えて〟制作したことはほとんどありません。いつも、突然インスピレーションを得るというか、見えてくるのです。それから、先にテーマを立てることもなくて、ねばりながら、あとからテーマが出てくる。――そこで、自分がこれまでやってきたことなどを思い返して思案していると、八月の終わりぐらいでしょうか、あるときふっと、「黄金の林檎」のイメージが頭の中に湧いてきたのです。

すぐに一晩でスケッチを仕上げました。もうこの時点で、〝決まった〟というか、私の中では、六メートル×十三メートルのイメージができあがっています。

最初の段階からやりたいと思っていたのは、自然石のモザイクでした。イタリアのラヴェンナにあるサンタポリナーレ・イン・クラッセ聖堂で見たビザンティンのモザイク壁画が忘れられなくて、いつか機会があればつくりたいとずっと思っていたのです。

それから、パドヴァにあるスクロヴェーニ礼拝堂のジョットのテンペラ画、南仏ヴァンスにあるマティスのロザリオ礼拝堂のタイル画や斬新なステンドグラス、これらにも、影響を受けていないと言ったら嘘になると思います。香川県の金刀《こと》比羅《ひら》宮《ぐう》でおこなった「琴平山再生計画」（二〇〇〇〜二〇一一年）でレストランの壁面に陶板画を用いたのには、マティスのタイル画のイメージがある。陶板画は、二年ぐらい試作をくり返して、有田焼の白地に、呉須《ごす》という染料

《黄金の林檎》のための最初のスケッチ。（アルシェ紙に鉛筆）

［右］イタリア、ラヴェンナにあるサンタポリナーレ・イン・クラッセ聖堂のモザイク画の前で。

［中央］田窪恭治《林檎の礼拝堂》（サン・ヴィゴール・ド・ミュー礼拝堂の再生プロジェクト、一九八九〜一九九九年）

［左上］原画・監修：田窪恭治、企画：公益財団法人日本交通文化協会、制作：クレアーレ熱海ゆがわら工房《蜜柑 ミカン みかん》（二〇一三年、ステンドグラス、四・一×六・九メートル、松山空港）

［左下］田窪恭治《感覚細胞−2016・イチョウ》開館90周年記念展「木々との対話——再生をめぐる5つの風景」（東京都美術館）への出品作品／展示風景（二〇一六年、イチョウの木、CORQ®［鋳鉄］、直径一四・五メートル）

で瑠璃色の藪椿を描き出しました。私は愛媛県今治《いまばり》市の生まれで高校時代は香川県で過ごしている縁もあって、松山空港にステンドグラス《蜜柑 ミカン みかん》（二〇一三年）もつくっています。

そして今回はモザイクと決めて、石は世界各地の自然石を使いたいと考えました。石というのは、人間の歴史を超えた数億年という歴史をもっています。その石を割ると今まで見たこともないような世界が現れる。そういう長大な地球の記憶、いろいろな時間の層を隣り合わせながら作品をつくることが「共生」につながる気がしたのです。

空間について

作品が置かれる場所を初めて見たときには、まだ建物自体改装している最中で、どんな作品をつくるかも決まっていなかったわけですが、スペースは大きいし、高さもあるし、いけるな、これはいい空間だな、という感じがしました。というのは、金刀比羅宮のレストランの壁面も高さが同じ六メートルで、幅は《黄金の林檎》より大きくて三〇メートル程ありましたが、そこに陶板を並べて、一気に絵を描いた経験があったので。私はアトリエではなく、それぞれの制作現場で描くタイプの作家ですが、このような制作スタイルになったのは、《林檎の礼拝堂》（一九八九～一九九九年）がきっかけです。フランスのノルマンディ地方にあるサン・ヴィゴール・ド・ミュー礼拝堂という、十五世紀末頃につくられて廃墟と化していた教会を再生するというプロジェクトでした。礼拝堂に魅せられた私は、さっそく家族を連れて現地に移り住み、

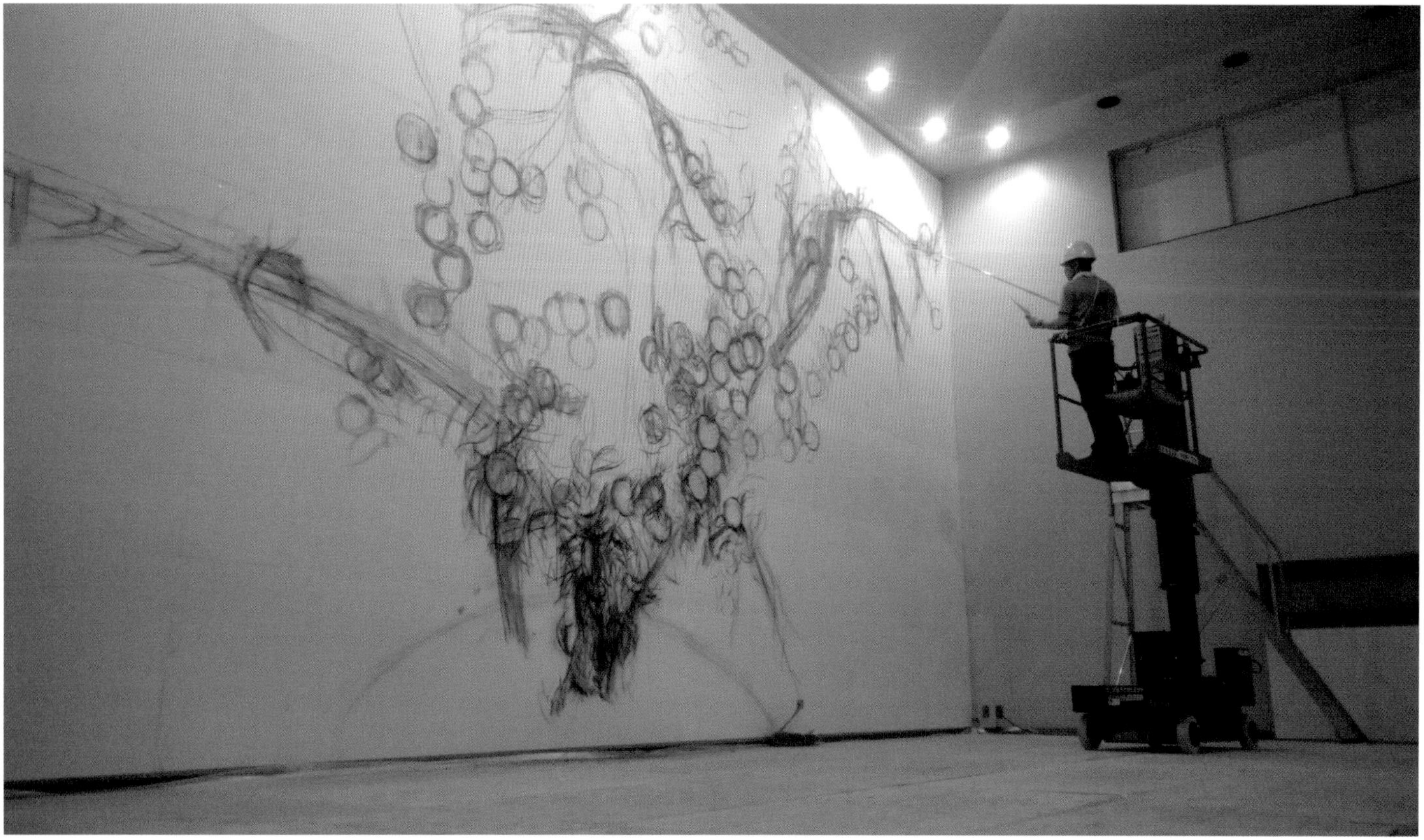

釣り竿の先に木炭やオイルパステルを取り付けて、絵筆として使用している。

結果的に十一年間そこで暮らしました。金刀比羅宮のプロジェクトのときもそうです。――その《林檎の礼拝堂》も、高さは三メートルくらいですが、平米数でいえば同じくらいでした。

こうやって振り返って見るといろいろ環境的な仕事をしてきましたが、自分は建築家や彫刻家ではなくて、やっぱり絵描きだなって感じがしますね。

原画を描く

現場での作業をはじめたのは九月です。まず、壁画が設置される壁面の鉄柱に、原画を描くための板を貼っていきます。下地材を塗った、厚さ二・五ミリほどのベニヤ板が五四枚くらいです。その大きさは、モザイクの土台と同寸になっていて、モザイクができあがったら原画をはずして、モザイクと入れ替えていくわけです。

ベニヤ板を固定したら、そこに直接、原画を描いていきます。画面が大きいので、釣竿の先に木炭を取り付けて線を引いていきます。メバルを釣る竿が一番シンプルで、私はずいぶんと絵筆代わりに使っています。今回は高さが六メートルもあるので高所作業車を借りて、それに乗っても描きました。そのために二日間、教習所に通いました。

ある程度描いたところで、まず、ど真ん中の林檎に金色を塗りました。私は発色のよいものが好きなので、オイルパステルといって、子どもが使うクレヨンのようなものを使って仕事をすることが多いです。金色にも、山吹色からシルバーに近い色まで五、六種類ぐらいありますので、ディテールをいろいろ変えながら描いていきます。

実は、最初に何本か線を描いたときに、すでに私の中では〝完成している〟感じがしています。レオナルド・ダ・ヴィンチは芸術について、「精神のものである」と言っていますが、私は描き進めるあいだ中、黄金の林檎の〝魂〟のようなものを生け捕りにしていく、何もなかった真っ白な空間につくり上げていく、そんなことができればいいなと思って格闘しつづけました。いつも、描きはじめたその時点で、そこに生命が宿るような気がするのです。

途中その作業を見に来てくれた方が、「線に、いろいろな音がある」と言ってくれました。迷いなく、しゃきしゃきと描いていく線の音、もたもたしながら悩んでいる線の音……。私は初めて自分が描く線に音があることに気づかされました。その方は、「色に温度を感じる」とも言ってくれました。

完成間際、どこで手を止めても完成しているのですが、最後に手を離したときが完成、ということになります。この原画は取り外して今は保管されていますが、マティスの《未完成のダンス》(一九三一年)が半世紀以上たって発見されたように、いつか、出てくることがあるかもしれないな、などと思ったりしています。――描きながら〝魂〟を探る、そんな格闘をつづけた三カ月でした。

石を割る

自然石を割りながらイメージを整えていきます。何億年ものあいだ眠っていた記憶を、ハンマーの一振りで呼び覚ましていく。それ自体とてもスリリングなことだと思いますが、それを

「形」にしていきます。モザイクの工程は、モザイク作家の上《うえ》哲夫さんにかかわっていただきました。彼に出会わなかったら、おそらく、この作品は成功しなかったのではないかと思います。

モザイクの原石は、上さんの石置き場にうかがって選ばせてもらいました。《黄金の林檎》に使われている一番濃い緑色の石は日本産の青葉《あおば》、少し薄いのは中国で採れた石です。真っ白なものはギリシャのタソス島、それから少しグレーっぽい白い石はイタリアのカッラーラ、林檎の輪郭に用いた黒い石はアフリカのジンバブエ。世界中の石がここで共存しているわけです。金色に光っているのは、御影石の表面を磨いた上に金箔を貼っています。

石を置く

原画を参照しながら、床でモザイクを並べていきます。壁画全面をひろげるだけのスペースがなかったので、中央と左右の三分の一ずつ、つくっていきました。

まず、最初に私が幹《みき》や林檎の実のメインのところに石を置いていきました。基本的には、モザイク作家の方々にお任せするのですが、上さんは、私が何を描いて、どういうことをやりたいかということをすぐ理解してくれました。

モザイク用のパネルには原画をトレースした輪郭線をカーボン紙を挟んで描き写しましたが、それは結局は、そんなに役に立ちませんでした。その線のとおりに並べていくと、そこで勢いが消えてしまうのです。だから、メインになる線はモザイクのパネルに再度、直接、木炭で描いていきました。モザイクというのは原画の上に計算して石を並べていって、原画を再現するのかと思っていたという人がいましたが、それだけではありません。

石を置きはじめたら、モザイク作家の方々はスピード感をもって作業していきます。私はそれを二階から見ながら、「その枝、ちょっと止めてください」などと言って、貼り直してもらったりする。石は、仮どめなどせずに最初から固定していきますので、直すときにはそれをはがさないといけない。だから、そのあたりが心苦しかったのですが、私が遠慮していたらできないわけですし、なるべく瞬時に、「申し訳ないけど、それ、変えてください」って言うしかないのです。ちょっと躊躇したら、どんどんできていってしまうので。多いときには十人以上結集して制作してくれましたから、それを全員について同時に見ていくのはたいへんでした。

この工程は、冬の一番寒い時期、十二月から二月いっぱいかかりました。

モザイクを貼ったパネルは、できあがったものから積み重ねて置いておいて、最後に壁画の下部から一気に設置していきました。寸法の誤差は上部で調整します。モザイクの土台には、防災上の理由などもあって、ドイツ製の特殊なパネルを使用しています。石を貼り付けると、一枚が一七〇キロくらいになります。パネルの縁にはビス穴のためのモザイクを貼っていない部分を残してありますので、ここを設置したあとで埋めていきます。単に埋めていくだけではラインが浮き出てしまうので、この工程には本当に神経を使いました。なぜ、こうやって細かく分割してつくったかというと、建物の老朽化などを見据えて、壁画を移動できるようにしておくためなのです。

［右上］完成したオイルパステルによる原画。それを見ながら、石を置いていく。

［上］石やタイル・ガラスなどを並べてみたところ。枝には赤い砂岩を、余白には真っ白な石をチョイスする。御影石に金箔を貼った林檎の実が光を反射して黄金に輝いている。——世界中の自然石の中から選び出した。
下段右は、石を割っているところ。

［上］床材に用いたCORQ®（コルク）の五つのパターン。
［下］二〇一四年、陸前高田市仮設図書館につくった「ふらっと広場」。地元の園児たちと聖心女子大学の学生たちと一緒に、CORQ®を敷きつめた。
（協力：BASF、ユネスコ）

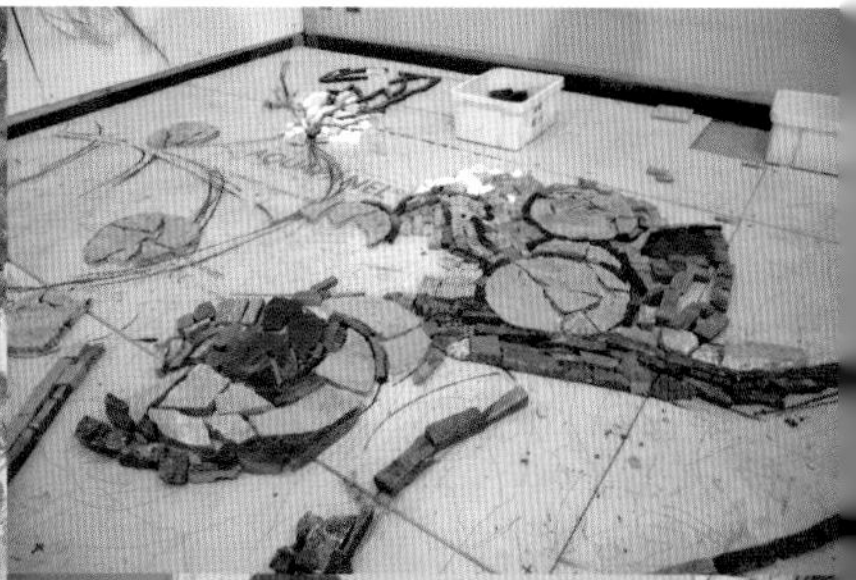

脚立の上からモザイク作家の方々の作業を見つめる筆者。

《黄金の林檎》の完成

二〇一七年二月、《黄金の林檎》が完成します。現場に入ってから五カ月という短期間でした。制作には勢いが大切で、ゆっくりと時間があいたときにとか、そういうわけにはいかない。さきほど、描きながら〝魂〟を探る、と言いましたが、やはり生きている作品、生き物をつくっているような気がしますので。〝生き物〟なのか、単なる〝デザイン〟なのか、やはり私はそこにこだわりたいと思っています。

床にはＣＯＲＱ®（コルク）という鉄のブロックを敷きつめました。新日鉄住金（現日本製鉄）と私が共同で開発したもので、たびたび私の作品で使っています。コルテン鋼という、橋や船などに使われる特殊な鉄で、表面が錆びると、その錆が錆を防いで中が腐食しないというものです。御影石を割った石肌の鋳型に流し込んでつくった五つのパターンが、いろいろな場所に応じて姿を変えていく。私は以前から鉄を環境と合わせた作品をつくっていますが、このＣＯＲＱ®を使った作品には、「感覚細胞」という名称を使っています。

たとえば、二〇一六年の東京都美術館の開館90周年記念展「木々との対話――再生をめぐる5つの風景」では、裏庭の、東京大空襲で被災したと伝わる大きな銀杏の樹の下に約一万個これを敷きつめた《感覚細胞－２０１６・イチョウ》という作品をつくりました。二〇一四年には、東日本大震災の復興支援事業として、陸前高田市の仮設図書館に「ふらっと広場」という空間を、ＢＡＳＦという会社とユネスコの協力のもと、地元の園児と聖心女子大学の学生たちと完成させましたが、そのときにもこれを並べた上にイスとテーブルを置いてパラソルを立て、被災者の方々がほっとできるような憩いの場としました。

Le Pommier
27. Fev.

《黄金の林檎》をご覧になるときには、ぜひこの上を歩いてほしいのですが、カチャカチャという音がして、タップダンスでも踊っているような気がします。先ほど、線に音があるという話をしましたが、音も一つの大事な要素だなと感じました。

モザイクを間近でご覧いただくと、ひとつひとつ厚みがさまざまで、かなりでこぼこしています。割り肌のままの石があったり、表面を磨いてあって自分の顔が映り込んだりする石もあります。黄金の林檎の色もさまざまですし、一日のなかでも、光によって色や見え方がちがってきます。ぜひ二階からも見ていただきたいです。

自然石モザイク

ここ何十年か、私は、不自由なことに挑戦している、石を使ったこともその一つであるような気がしています。自然石には一つずつに何億年という時間が集積されているので、とにかく最初から自分を超えているわけです。それぞれが特定の場所にしか存在しない石に対して、どうこうしてくれと言ったところで、むりなんですよね。だから、それぞれの石の性格をうまく引き出しながら隣り合わせていく、そこに、かなり気力も体力も使いました。本当のところは、隣り合わせようがないのです。メキシコと中国とイタリアといった、地球上では存在し得ない石と石とのマリアージュ、コンビネーションなわけです。だから、それをもって絵をつくること自体が、そもそも傲慢な行為なのかもしれません――。

最後に、制作に協力していただいた上哲夫さん、杉山高行さん、三上群嗣さん、松下敬さん、中林裕夫さん、宮川雄介さん、石塚誠さん、上昇平さん、張末昤さん、櫻井拓也さん、櫻井真智子さん、芦田いずみさん、そして映像作家の尾高俊夫さんに感謝いたします。

＊　＊　＊　＊　＊

それから二年後の二〇一九年末、筆者は聖心女子大学で、「持続可能な社会の創り手育成に向けたPBL（プロジェクト・ベースト・ラーニング）の推進」事業の一環としての特別講義とワークショップをおこなった。サスティナブル・キャンパス創りの基層として「文化」に焦点を当てたPBLは、世界でもユニークな試みである。その概要と、授業後に筆者が学生に贈ったメッセージをここに付記する。

サスティナブル・キャンパス構想に向けた授業実践「風景芸術」

「風景芸術」と題した授業で、テーマは「大学キャンパスを自己表現する！」とした。ワークショップで学生は、毎日通う東京・広尾の聖心女子大学の建物内部・外部及び庭やオープンスペースを観察し、各自「気になる場所」を特定し、今まで以上に活性化できる現場を想像し、さらに独自のデザインによるイメージを表現するための試行錯誤をおこなう。具体的には、キャンパス内の「変えたい！」と思った場所を写真に撮り、それらをコラージュ的な作品として仕上げ、最後に「夢のキャンパス」に関する提案を共有し合った。

参加者は、学部生一〇名、大学院生四名の計十四名で、二〇一九年十一月三日・二十三日、十二月七日の三日間にわたっておこなわれた。

「筆者から学生へのメッセージ」

地球温暖化を助長し生物多様性を破壊するように人類の世界人口は七十七億人（二〇一九年現在）を超え、さらに増え続けています。

そして現在、我々はインターネットを通じたグローバル社会の中で国家の枠を超えて生きています。

その一方で人間がその生物学的特性により目の前で起こる出来事に対して動物的に反応し、直感的に判断し、自主的に行動してきた、ごく普通の行為が難しくなっています。その原因は資本主義と社会主義のイデオロギーに限界が生じているにもかかわらず新しい政治モデルも無く科学技術だけが進歩して、コンピュータソフトによって導き出された答えを根拠にした社会のシステムが成立し、多くの人々がこのシステムによってコントロールされるようになったことによります。

このような状況は、これまでの一世紀単位の時代の変化ではなく、グーテンベルクによって発明された活版印刷機による世界の変化やメソポタミアで文字が発明された後の日常生活の変革のように、数百、数千年単位で起こる人間文明の転換期と言えます。それほどコンピュータの出現は世界を変えました。

翻って、およそ四〇〇万年前に二本足で歩くようになった人類が、ヒト（ホモサピエンス）になり、火を発見して調理を楽しむようになり、動物の骨で作った楽器で音を出し、ダンスに興じ洞窟の中に絵を描くようになりました。他の生物にない「芸術の誕生」です。

二十万年前に二〇〇〇～三〇〇〇人で世界を移動しはじめた人類は紀元零年《ゼロ》にはローマやア

レクサンドリア、中国の長安やインド、その他の場所に一〇〇万人から二〇〇万人の都市国家を建設しました。そして十八世紀の産業革命の頃には人類の人口は七億人に達し、現在の人口爆発へと続きます。

言い換えれば、これまでの人類の進化は、道具を発明し、産業や経済のシステムを考え、人間の利益を追求するために頭脳的な知恵を進化させる一方で、逆に、人の心に響く芸術行為の深化は贅沢な無駄を追求する結果であると考えられるようになったのです。

時間が直線的で元に戻らない瞬間の連続であるとすれば、人間の歴史はプラスとマイナスのベクトルに分断されて進み、やがて消滅します。

例えばコインの裏と表の関係であるかのような利益と無駄、あるいは科学と芸術、頭脳と心のような真逆な関係であったとしても、その両方の先端を結びつけた、円、つまりループ状の存在として時間を考えた場合、人間社会の過去と未来における分裂と消滅を食い止めることができるのではないでしょうか。時間や歴史をループ的に捉えることは、人間の頭脳と心の遊離を引き留めることでもあります。

今回の授業は三日間という大変短い時間の中での実験的な試みですが、「自然」から「人工」へ、そして各自の個性を通じて「公共」について考えてもらえることを期待しています。願わくば、いつも通学している大学のキャンパスの日常の風景を観察し、特定の場所の歴史に耳を傾け、より活性化できる表現の現場を自分以外の人々にも感じさせてもらいたいのです。

同時にそれらの行為は、自分が感じた特定の現場のイメージを具体的な「形」として表現することの困難さを体験することであり、そこで〝ひらめいた〟アイデアを温めながらそれぞれ皆さんが独自の風景をデザインするために試行錯誤するプロセスを経験することでもあります。

（『サスティナブル・キャンパス構想に向けたアイデアと知見』［「持続可能な社会の創り手育成に向けた PBL の推進」事業報告書、二〇二〇年］より）

林檎をめぐる文化論

高階秀爾
TAKASHINA Shuji

世界を変えた三つの林檎

まず、西洋絵画に描かれてきた数々の林檎を見ていきながら、「世界を変えた三つの林檎」というお話をします。いちばん最初の林檎は、『旧約聖書』の「創世記」の中にでてくるアダムの林檎です。この林檎は、世界どころか人間の歴史を変えました。

エデンの園のアダムとエバは、神から、どの樹の実も自由に食べて良いが、ある樹の実だけは絶対に食べてはいけないと言われていた。それが善悪を知る木、「知恵の樹」の禁断の果実です。ところが、あるとき悪魔である蛇が、「この実はたいへんおいしいし、知恵がつくのだ」と言ってエバを誘惑する。ついにエバはその実を採って食べ、それからアダムにも食べさせた。神の言いつけに背いたわけです。そして二人は楽園を追放されます。その実を食べてしまったがために、二人、――つまりわれわれ人間は楽園から追放され、地上で苦労することになった。人間の歴史のなかの大きな節目になったわけです。

図1は、十五世紀の初め、ランブール兄弟が描いた時祷書のなかの挿絵です。エデンの園が描かれています。知恵の樹

[1] ランブール兄弟《エデンの園》

『ベリー公のいとも豪華なる時祷書』挿絵
1415年頃　シャンティイ、コンデ美術館

には下半身が蛇の悪魔が巻きついていて、エバにその実を渡しています。アダムとエバが林檎を食べて、神が怒って、二人は楽園を追放された、という一連の出来事が一つの画面に描かれています。

英語で男性の喉仏のことを、"The Adam's apple"（アダムの林檎）といいます。禁断の果実を食べて、それが神に見つかったとき、アダムは実を慌てて飲み込んで、その種が喉に引っかかったという逸話からそう呼ばれています。あとで田窪さんの《黄金の林檎》には種があるかという話があると思いますが、アダムの林檎には種があった。

これが、人間の運命を大きく変えた、第一の林檎です。

ただし、『旧約聖書』には、どこにも「林檎」とは書かれていません。禁断の果実が一般に林檎とされるようになったのは、ずっとあと、十三世紀になってからのことです。

図2は、十五世紀のフランドルの画家

[2]
フーゴー・ファン・デル・グース《原罪》
15世紀末　ウィーン、美術史美術館

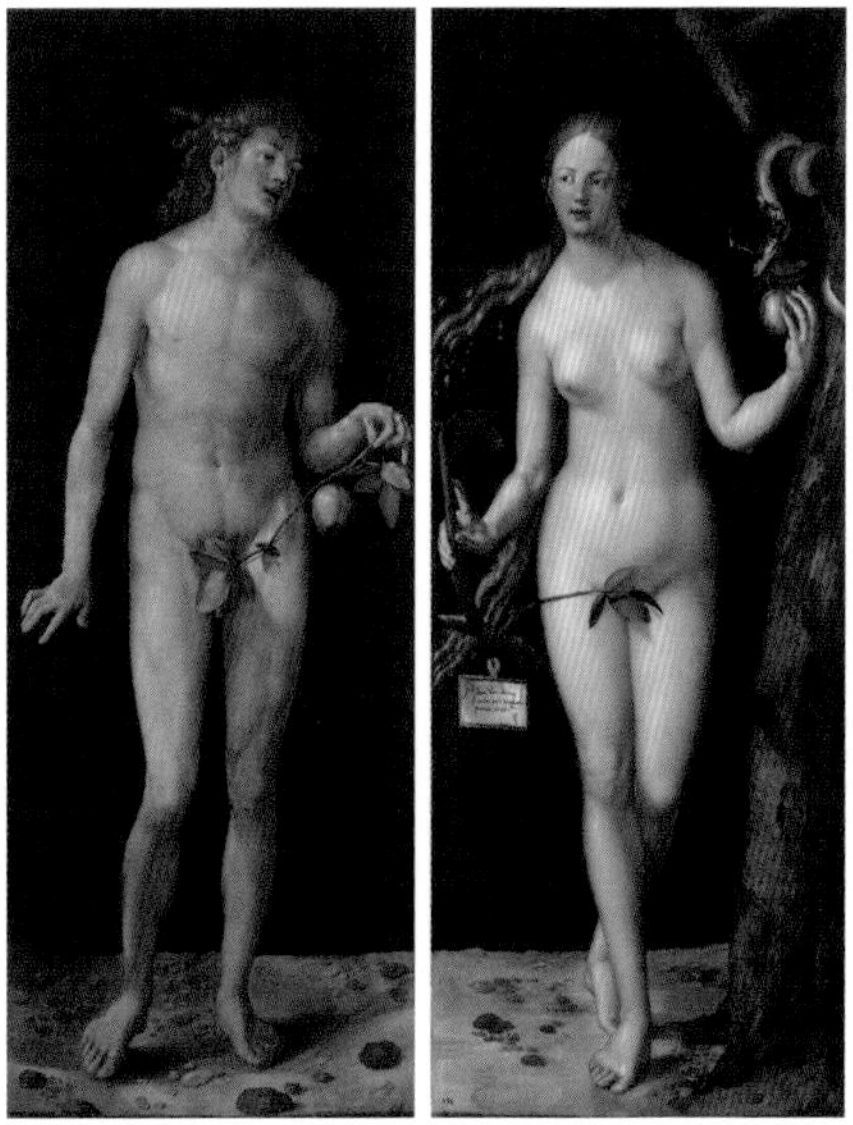

[3]
アルブレヒト・デューラー《アダムとエヴァ》
1507年　マドリード、プラド美術館

フーゴー・ファン・デル・グースによるものです。ランブール兄弟のものと、よく似ています。このテーマは、絵画としてよく描かれました。知恵の樹と、悪魔、言われたとおりに林檎に手をのばすエバと、その隣にアダムという構図です。

　アダムとエバが林檎を手にしている場面もよく描かれます。特に知られているのは、ドイツのルネサンスの最大の画家と言ってもいいアルブレヒト・デューラーです（**図3**）。裸体表現として見ても、たいへん見事だと思います。エバの手元には蛇に姿を変えた悪魔がいて、エバに林檎を渡しています。アダムもエバに渡された林檎を手にしています。アダムとエバを最初の罪を犯した者として描くために、林檎が登場している。

[4] ティントレット《アダムの誘惑》
1550-1553年　ヴェネツィア、アカデミア美術館

　図4は、十六世紀のヴェネツィアの画家、ティントレットの作品です。ここでは、まさに林檎を食べている場面が描かれています。ここでも知恵の樹とアダムとエバの構図です。エバはもう食べ終えてしまったのでしょう、アダムに林檎を差し出しています。アダムは神に禁じられているので食べてはいけないと思ったが、エバに言われて迷いながらも結局は食べてしまう、という場面です。
　前向きと後ろ向きの男女の裸体表現が見事です。中景には、楽園を追放されて逃げていく二人が小さく描かれています。

林檎を食べる場面と逃げていく場面が一緒に描かれている、こういう「異時同図」という表現は、ミケランジェロの天井画や十九世紀の絵画に多く見られ、これだけで一回分の授業になります。

第二の林檎は、ギリシャ神話の「パリスの審判」に登場する、まさに「黄金の林檎」です。ある結婚式の祝宴に神々が招かれ、大いに賑やかにお祝いをしていた。ところが、一人だけ呼ばれなかった神がいました。不和の神、エリスという女神です。日本にも、貧乏神とか、竈の神とかいますが、面白いですね。結婚式に不和の神はどうも具合が悪いというので、呼ばれなかったのです。それを聞いたエリスは怒った。そこで結婚式をめちゃくちゃにしてやるというので、どうしたか。――黄金の林檎を一つ、宴席に投げ込んだのです。実はこの林檎は、のちほど紹介する田窪さんの作品に関係する「ヘスペリデスの園」から、英雄ヘラクレスが盗んできた特別な林檎です。さきほどの『旧約聖書』の禁断の果実が林檎として描かれるようになったのには、このギリシャ神話の黄金の林檎のイメージがあるとされています。

ところで、エリスはその黄金の林檎をただ投げ込むのではなく、そこにひとこと、「一番美しい人へ」と書いた。これが問題なのです。黄金の林檎は自分のものだと大騒ぎになって、もう結婚式どころではなくなりました。

その中で、私こそ美しいという三人の女神がいました。一人は、神々の女王、ヘラ。英語ではジュノーです。ジュノーは結婚の女神、家庭を守る神でもあります。英語で、六月に結婚式を挙げる花嫁をジューンブライドといいますが、あれはジュノーからきています。

もう一人はアテーネー。アテネの町の守護神ですが、学問の神でもあり、武芸の神でもある。頭もいいし、腕も強いという女神です。

三人目はアフロディテ、ヴィーナスです。言うまでもなく、愛と美の女神です。
女神たちは、神々の王ジュピターのところに行って、誰が一番美しいか、黄金の林檎は誰のものかを決めるようにとせまりました。ジュピターも困ったのでしょう。そこで、パリスに決めさせる、と決めました。ずるいですよね、人に押しつけたわけです。そしてトロイアの王子パリスのもとに三人が向かう。これが「パリスの審判」です。

図5は、その審判の場面の一つ。十六世紀から十七世紀初頭のオランダの画家ウテワールの作品です。奥のほうには結婚式のお祝いの場面が描かれています。中央にいるのがパリスです。向かって右側にいる女神は兜をかぶっているので、武芸の女神アテーネーでしょう。一番左がジュノーで、ヴィーナスは、キューピッドと一緒にいます。パリスはヴィーナスに林檎を渡しています。

ヴィーナスは、しばしば林檎を持った姿で表現されます。これは勝利のヴィーナスというしるしで、つまりその勝利というのは、この審判で勝ったということなのです。

図6は、十六世紀初頭のドイツの画家、ルーカス・クラナッハの作品です。ここでは、パリスは中世の騎士のような格好

[5]
ヨアヒム・ウテワール
《パリスの審判》
1615年
ロンドン、ナショナル・ギャラリー

[6]
ルーカス・クラナッハ（父）
《パリスの審判》
1528年頃
ニューヨーク、メトロポリタン美術館

をして、腰をおろしたのんびりした様子で審判をくだしている。パリスの一番そばにいるのがヴィーナスでしょう。

ルーベンスも、このテーマをいくつも描きました。**図7**の、パリスの横にいるのは、神々の伝令使ヘルメス、英語ではマーキュリーです。ギリシャから遠く離れたトロイアに三人の女神を案内してきて、パリスにジュピターの命令を伝えています。女神のうち、キューピッドと一緒にいるのがヴィーナスです。向かって左の女神の足下には楯や兜などの武具が描かれていますので、アテーネー。ジュノーにはお供として孔雀が描かれます。

ルーベンスは裸体表現が巧みですから、非常にうまく、正面、横、後ろ向きと、身体をちょっとひねった女性のさまざまなポーズを描いています。

パリスは結局ヴィーナスを選ぶわけですが、それを決定した場面を描いたのが、ルーベンスの影響を受けたルノワールです。**図8**は、ヴィーナスが林檎を受け取って勝利のヴィーナスになる瞬間です。ここでの林檎は、美のシンボルです。

ヴィーナスは、パリスに、お礼として世界で一番美しい女性を与える、と言います。当時、世界で一番美しい女性というのは、トロイアとはエーゲ海をはさんで反対側、ギリシャにいたヘレナです。ところが具合の悪いことに、ヘレナは既

[7] ペーテル・パウル・ルーベンス《パリスの審判》
1638年頃　マドリード、プラド美術館

[8] ピエール＝オーギュスト・ルノワール《パリスの審判》
1913-1914年頃　広島、ひろしま美術館

にメネラウスの妻でした。それをヴィーナスが奪ってきて、パリスに与えた。もちろんメネラウスは怒るわけです。トロイアへヘレナを奪い返しに行く。つまり、美が争いの種になってしまった。

　ホメロスの長編叙事詩『イリアス』でうたわれているトロイア戦争を真実だと証明したのは、ドイツの学者シュリーマンです。実際にトロイアの町を発掘しました。すると、ホメロスに出てくるような黄金のマスクや、さまざまな遺跡が出てきた。トロイアは当時、たいへんに栄えていたことがわかったのです。一方、ギリシャはもちろん西洋世界の始まりです。トロイアとギリシャの十年にわたる争いは、結局、ギリシャが勝利して、ヨーロッパが地中海世界を支配します。

　ここでは、黄金の林檎は、美のシンボルであると同時に、争いのシンボルでもあります。第一の林檎は、罪のシンボルでした。キリスト教では、人間は罪を犯してはならない。最後の審判の日に甦っ

[9]
ポール・セザンヌ
《りんごとビスケット》
1879-1880年頃
パリ、オランジュリー美術館

[10]
ポール・セザンヌ
《りんごとオレンジ》
1899年頃
パリ、オルセー美術館

て、良い人間は天国に行くし、悪い人間は地獄へ行く。つまり、道徳的な善悪がはっきりしているわけです。しかし、この戦争の場合は善悪ではなく、どちらが美しいか、どちらが強いか、ということになり、争いのもとになります。この戦争が、いまだに中近東、つまりトルコを含めたイスラム世界とヨーロッパ世界との衝突が起こる根源であり、そのもとがこの黄金の林檎でありました。

　さて、第三の林檎は、ニュートンの林檎です。ニュートンは、本当かどうかはわかりませんが、林檎が落ちるのを見て万有引力の法則を発見した。したがって、この林檎は罪のシンボルでも、美のシンボルでも、争いのシンボルでもありません。「物」として林檎を見ているわけです。物の本質を探るということです。これ以降、西洋では科学が発達します。科学文明、物質文明という、今日までつづく世界がそこに生まれたということになります。

　図9は、有名なセザンヌの絵です。セザンヌは、肖像も、風景も、静物も何でも描きましたが、描くのにたいへん時間

をかける人でした。肖像を描くときはモデルを長時間同じ姿勢で座らせておくので、誰もモデルになりたがらない。ヴォラールという画商の友人を描いて賞賛されましたが、彼がついうっかり居眠りしたら、セザンヌは怒って、「ふらふらするな、林檎みたいにしっかりしていろ」と言ったそうです。だから、セザンヌの肖像画のモデルは、おとなしい人に限られています。自分の奥さんや、使用人の庭師などの肖像があります。

　風景はもちろん動きませんので、サント・ヴィクトワールという山など、いろいろ描きました。静物もじっとして黙っていますが、花はしおれてしまいますので、造花を描きました。林檎はすぐには傷みませんが、それでも長く置いておけば腐ってきます。今もアトリエには、つくりものの花や林檎が残されています。

　彼は、具体的な意味などなしにどうやって形や色彩をとらえるかということを描いた。生涯、数々の林檎を描き、たとえば**図10**では、全体の構図の中でどのように表現してどう配置するかで苦闘しています。これが第三の林檎、近代の林檎の表現です。

「生命」のシンボルとしての林檎と、日本における「自然との共生」の思想

　セザンヌと同じ時代に、象徴主義（シンボリズム）と呼ばれる文学や絵画の運動がありました。人間の心の中、魂の中、精神の世界といったものを描き出そうというもので、描かれる物にはいろいろな意味づけがある。たとえばポール・ゴーギャンやギュスターヴ・モローなどがいますが、その運動が、やがては

シュールレアリズムにつながっていきます。

図11はゴーギャンの自画像です。背景には林檎が描かれています。これはアダムの林檎、原罪の林檎です。手元には悪魔である蛇が描かれています。ゴーギャンは、科学によって進歩してきた文明世界を嫌ってフランスを離れ、タヒチ、つまり原始の生命の世界に移り住みます。この絵では、西洋文明をエデンの園まで遡り、それを否定しているのです。そのシンボルとして林檎が描かれています。図々しくも自分の頭上に、聖人のしるしである円光を描いています。原初的な生命を求め、自分が新しい魂の世界をつくるという、ゴーギャンの思想がそこにあらわれています。

図12は《イア・オラナ・マリア（われ、マリアを崇拝する）》という題で、タヒチのマリアとイエスを描いています。中景の左端には天使がいて、二人の女性は手を合わせ、手前には果物が描かれています。果物を持つ女性を彼はよく描きました。

図13は、マンゴーを持つタヒチの女性像。非常にたくましく、原始的です。おなかが大きくて、子どもを身ごもっているようです。マンゴーの実が、新たな生命を生み出す象徴とされています。

図14は、皿に盛った花を抱えもつ女性

[11]
ポール・ゴーギャン
《自画像》
1889年
ワシントン、ナショナル・ギャラリー

を描いています。花は、見るからに華やかです。花が咲くから、実がなります。アダムの原罪の林檎も、パリスの審判の林檎も、問題とされたのはその実だけですが、樹があって、花が咲いて、実がなる。それをゴーギャンは三人の女性として描きました（**図15**）。後ろの一番若い女性は花で飾られています。左の中年の女性は果物の盛られた籠を持っていて、座っている女性は子どもを抱いています。つまり、生命のつながりというものが、花、果物、幼児で象徴されているのです。

[12] ポール・ゴーギャン
《イア・オラナ・マリア》
1891年　ニューヨーク、メトロポリタン美術館

[13] ポール・ゴーギャン
《マンゴーの女》
1892年　ボルティモア美術館

[14] ポール・ゴーギャン
《タヒチの女たち》
1899年　ニューヨーク、メトロポリタン美術館

[15] ポール・ゴーギャン
《母性》
1899年

さて、田窪さんの林檎について。

田窪さんは、ノルマンディの礼拝堂の内部に、林檎を描きました。ノルマンディのいたるところに連なる林檎樹の若々しい生命力を、礼拝堂再生のシンボルとして描いている。また、大原美術館には《黄昏の娘たち》（一九八三年）**（図16）**という作品が所蔵されていますが、「黄昏の娘たち」とは、さきほどのギリシャ神話に出てきた「ヘスペリデスの園」の黄金の林檎の樹を守っている乙女たちのことです。そしてその実は、不老不死の霊力をもつと信じられていました。二〇一一年には、大原美術館の脇にある有隣荘というお屋敷の襖絵**（図17）**を描いていただきました。ここでも林檎の樹です。つまり、これらの林檎は、罪のシンボルでもなく、美のシンボルでも争いのシンボルでもなく、「生命」のシンボルなのです。

ところで、西洋の教会は外部と内部が完全に壁でふさがれていて、その中に神がいます。パリのノートルダム寺院は有名ですね。ゴシックの大聖堂ですが、あの中は、もちろん神のいる特別な場所です。しかし、壁の外は、観光客があふれているし、車が通るし、つまり俗世間です。建物の中だけが神の場所で、外は俗世間。非常にはっきり区別されている。《林檎の礼拝堂》で田窪さんは、その神の場所に林檎の樹を描き、花を描いて、実を描いた。今回の《黄金の林檎》も、地面から樹として描かれています。つまり、「生命」の全体をつながりとして描いている。日本はそういったことを

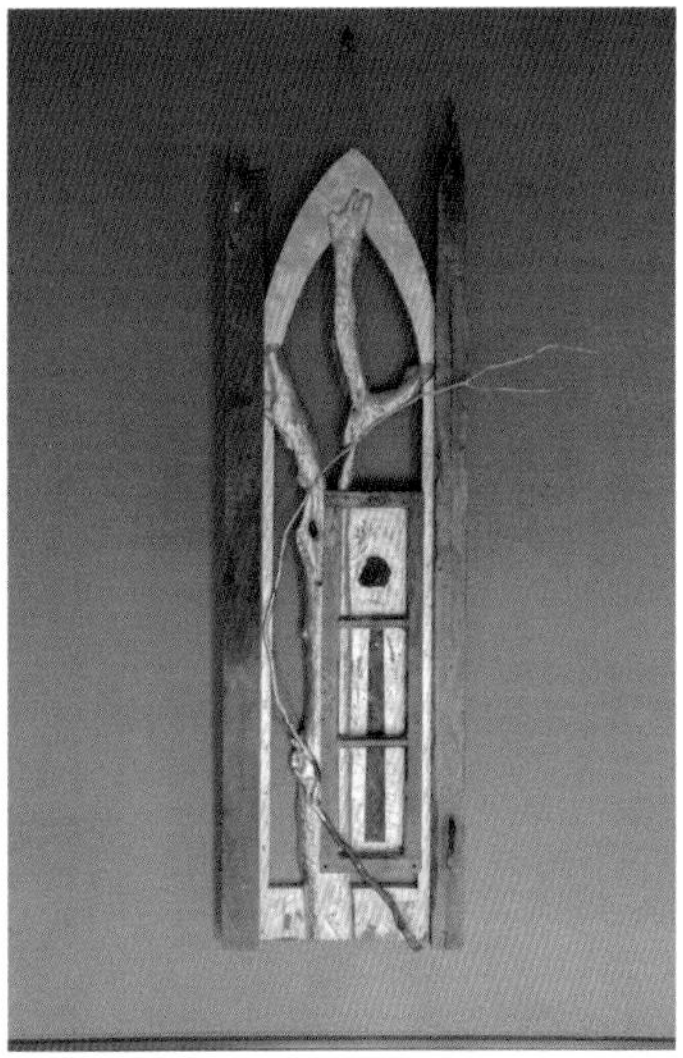

[16]
田窪恭治《黄昏の娘たち（83-1）》

1983年　木・石・鉄・金・蜜蝋
189×76×15 cm
倉敷、大原美術館

[17] 田窪恭治《倉敷の風景に（林檎の障屏画－2011）》

2011年　墨、紙、陶製引き手　最大240×103 cm（22点組）
倉敷、大原美術館 有隣荘

非常に大事にします。それは、たとえば神殿建築にも見ることができます。

古くからの日本の建物は、木でつくられたものがほとんどです。これは世界でもちょっと珍しいことです。西洋では、石ですね。ノートルダムもそうです。昔は木造建築が世界のあちこちにありましたが、木なのでなかなか残らない。日本では、正倉院や法隆寺などが残っていて、今でも住居の多くは木造ですし、新しい国立競技場でも軒回りのルーバー部分に木材を多用しているようです。

伊勢神宮は、木を使った初期の建築の代表的なものの一つです。建物としては素朴なつくりで、掘立《ほったて》柱という、真っすぐに、直接、地面からのびる柱に棟木《むなぎ》をわたして屋根をのせたというだけですが、非常に見事なものです。

しかし、これはたいへんに持ちが悪い。掘立柱ですから根元が腐りやすく、しかも素木《しらき》です。当時、青丹《あおに》よしの奈良の都の時代ですが、すでに日本では仏教建築が盛んでした。仏教建築では、必ず礎石を置いてその上に柱を立てました。それから、屋根は瓦ですが、伊勢神宮では萱《かや》葺《ぶき》です。すでに仏教建築の技術をもちながら、神様の住まいとして、持ちの悪い木造を用いたのです。見方を変えれば、頻繁に修繕しなくてはならないということです。

二十年ごとの遷宮は天武天皇の時代に始まりました。本殿、正殿、玉垣などすべてをそっくりそのまま隣に建て替えるわけです。そして今神殿があるところは空き地にして、二十年後にはまたそこに戻る。二十年ごとに常に新しくしつつ、かたちを伝えていくのです。それは、樹木の「生命」をつないでいくということです。

仏教建築でも、西洋の建築でも、つくられたものはその時代、時期のものです。パリのノートルダムは十三世紀につくられた。だから、「八〇〇年前の建築」ということになります。これは外国の人にはなかなか理解してもらえないのですが、伊勢神宮は日本の建築史では天武天皇のとき、上代建築にあたりますが、いつ建てたかといえば遷宮のあった数年前です。だとすれば「二十一世紀建築」ということになりますが、違うのです。常に新しいけれども、古いのです。常に現在であって、古いものとつながっている。これが伊勢神宮のもっている非常に大きな意味です。

しかも大事なのは、さきほどノートルダムでは建物の内部が神の場所だと言いました。伊勢神宮ももちろん神様の場所なのですが、神殿の周りも、すべて神域なのです。神の域なので、われわれは勝手に入ることはできません。伊勢神宮に参詣するには、まず五十鈴川の鳥居をくぐります。鳥居をくぐると、途端に神様の場所になる。日本の神社というのは、皆、そうなっています。

一八七八年に、イギリスの旅行家イザベラ・バードは日本を旅して、『日本奥地紀行』を著しました。一八七八年といえば、日本は明治十一年、まだ文明開化の初めのころで混乱の時代です。古いものもたくさん残っていたでしょう。その本の中に、日本の特に東北地方には所々に不思議な小さな森があるという話があります。何だろうかと、とにかく行ってみる。そうすると必ず鳥居がある。鳥居をくぐって入っていくと、傾斜があって、上のほうに何かありそう。行ってみると大したことはない。壊れかかった建物があるか、あるいはしばしば何もない。しかし、土地の人はよくそこに行って拝んでいる……、と。

これは、われわれにはよくわかりますよね。鎮守のお社です。今でもかなりの数が残っています。新幹線に乗って車窓を眺めていると、日本は狭い国だから、民家や工場などの建物や田んぼなどがつづいていく。その中に時々、こんもりとした緑の茂みがある。これが鎮守の森と呼ばれる、村の守り神、神様のいるところ。鎮守の森を研究している方によると、ざっと十万カ所あるそうです。一番大きいものが、東京という大都会、一三〇〇万人もの人が暮らす世界有数の現代都市の真ん中にある皇居です。

皇居は完全に自然の世界です。植物や動物、昆虫など、自然のままの生物相が残っています。伊勢神宮についても調べた人がいます。五十鈴の森では二六〇〇種以上の昆虫が確認されているそうです。そして、鎮守の森では殺生禁止、これはすべての森に通じています。

鎮守の森という、神様にささげられたその空間の中にいる生き物は、大事なものとして人は手を触れてはいけないし、傷つけても、殺してもいけない。木は切ってはいけない、動物も捕らえてはいけない。奈良の春日大社にいる鹿は、神様のお使いです。三輪山の蛇、あるいは稲荷神社の狐、みんな神様の大事なものです。

動物も、植物も、昆虫も、ぜんぶ一緒になっている。もちろん人間もその一部です。小さな村の鎮守の森では、人々がお祭りもする。それが鎮守の森であり、宗教的なものと絡み合って、これこそが日本の神の世界なのです。西洋の天地創造の神とはまったく別のものです。

現代は、これだけ科学が進歩して物質文明の時代でありながら、都会の真ん中でも、歩いていると、小さな神社や鳥居があったりします。われわれは、そこに一歩入れば別の世界だという意識をはっきりもっています。鳥居を境に、神様の世界とつながっていると同時に、自然の世界につながっている。鳥居というのは不思議なもので、実は起源もよくわからない、他には類のないものです。そういった、自然と一緒になった世界が、現在のわれわれの中にも生きています。

日本でも環境破壊がどんどん進んでいます。さまざまな動物、植物、人間、そして自然が一つになった環境が手つかずで残っている鎮守の森は、非常に大事な遺産だろうと思います。それは、文化の現れである美術にも表わされています。田窪さんの《黄金の林檎》は、われわれ日本人がもっている「自然との共生」という思想に気づかせてくれます。《黄金の林檎》の一連のプロジェクトは、その意味で非常に優れた文化イベントであったと思います。

子どもが描く「リンゴ」の意味

水島尚喜
MIZUSHIMA Naoki

料金受取人払郵便

本郷局承認

4682

差出有効期限
2023年3月14日
まで
（切手不要）

郵便はがき

113-8790

（受取人）
文京区本郷1—28—36
鳳明ビル1階

株式会社 三元社 行

1138790 17

お名前（ふりがな）	年齢
ご住所（ふりがな） 〒 （電話　　　）	
Email（一字ずつ正確にご記入ください）	
ご職業（勤務先・学校名）	所属学会など
お買上書店　　市 区・町　　書店	

20210224/10000

愛読者カード

ご購読ありがとうございました。今後、出版の参考にさせていただきますので、各欄にご記入の上、お送り下さい。

書名

▶本書を何でお知りになりましたか

□書店で　□広告で（　　　　　　　　　）　□書評で（　　　　　　　　）

□人からすすめられて　□本に入っていた（広告文・出版案内のチラシ）を見て

□小社から（送られてきた・取り寄せた）出版案内を見て　□教科書・参考書

□その他（　　　　　　　　　　　　　　　　　　　　　　　　　　　　）

▶ 新刊案内メールをお送りします　□ 要　　□ 不要

▶本書へのご意見および今後の出版希望（テーマ、著者名）など、お聞かせ下さい

●ご注文の書籍がありましたらご記入の上お送り下さい。

（送料500円／国内のみ）

●ゆうメールにて発送し、代金は郵便振替でお支払いいただきます。

書　　名	本体価格	注文冊数
		冊
		冊

http://www.sangensha.co.jp

私は美術教育という学問領域を生業としている人間で、子どもはどのように世界をながめているのだろうという点に関心をもっています。ここでは、「共生」と「アート」について、「子ども」を通して考えてみたいと思います。

最初に、一つの命題を掲げてみます。

「子どもたちは共生的感性に生きる存在である。」

これは逆説的に、われわれ大人が失ってしまったもの、過去にはもっていたが、なくしてしまったものがあるのではないか、子どもたちを通して、逆にわれわれ大人が教えてもらえるものがある、という視点から述べていきます。

ビートルズのリンゴ

今年（二〇一七年）はビートルズの「サージェント・ペパーズ・ロンリー・ハーツ・クラブ・バンド」が発表されてから五〇周年ということで、なかなかにぎわっているようです。ビートルズはさまざまなレベルで文化史の中に足跡を残しました。それ以前でいえば、コンポーザーがいて、作詞家がいて、そしてパフォーマーやシンガーがいるというような、分業的な音楽業界の形態がありました。彼らはそのような従来の常識や垣根をやすやすと越境していきます。「サージェント・ペパーズ」は、世界初のコンセプト・アルバムと言われています。虚構のコンセプト（物語）を起点に、ビジュアルや音楽をコラージュしていく。そこにファッションなどの流行現象も巻き込みながら新たな展開を示しました。要は、多方面興味をもった子どもみたいなのです。子どもが遊ぶように自らが生み出した物語をもとに、興味関心のままに突き進んでいった。

私は、中学一年のとき、近所のレコード屋さんで「サージェント・ペパーズ」を買った際にもらった冊子（**図1**）を、今でも大切にしていいます。ビートルズのディスコグラフィになっていて、日がな眺めては「次はこのアルバムを買いたいな」などと、思いをめぐらせていました。その表紙に描かれていたのが、やはり、「リンゴ」。黒地に大きく、象徴的に描かれています。

ビートルズと言えば、リンゴです。一説によると、ジョージ・ハリスンがリンゴが大好きだったという話もありますし、何よりもジョン・レノンはアート・カレッジの出身でありましたので、美術史上の「リンゴ」の影響もあるのではないかと思います。従来のレコード・ラベルといえばアルバムタイトルや会社名をあしらったものがほとんどだったのが、ビートルズはそこに、リンゴをもってきた。一つのシンボルを通して、音楽だけではないトータルな物語世界を表象していたわけです。

一九七〇年にビートルズは解散しますが、ジョンの解散後初のソロアルバム「ジョンの魂」のラベルが、同じデザインの白いリンゴになっています。ビートルズのアルバムは主に青リンゴで、赤いリンゴのときもありましたが、ジョンはビートルズを旅立つそのとき、真っ白なリンゴに、いろいろな思いを表現したのだと思います。

そして今、われわれは「アップル」のロゴを見、象徴するものを直感

[1]
『THE BEATLES』、1970年頃
東芝音楽工業株式会社が作成した宣伝媒体
（総40ページ）

する「コンピュータ文明」の中に生きています。創業時のアップルにはスティーブ・ジョブズとスティーブ・ウォズニアックという盟友の存在があったわけですが、とくにジョブズはビートルズのファンで、なかでもジョンの大ファンでした。ゆえにこのロゴがあるわけです。iTunesにビートルズの楽曲を提供してもらえないかといった折衝もしたようです。いずれにせよ、アップルのリンゴはただの〝かじられたリンゴ〟ではなくて、ここにダブルミーニング、トリプルミーニングを、ジョブズは象徴させていました。そしてこういった象徴作用によってリンゴから歴史性とか、さまざまな文化的背景といったものを直感したり、読み取ったりということを、現代のわれわれはおこなっています。

象徴機能と造形

ここで少し人類史を紐解いてみましょう。旧人のネアンデルタール人は、絵画というシンボルは使用していなかったのではないかと言われています。もっとも、現在では旧人・新人の範疇分けが非常に微妙なそうですが、新人のクロマニョン人が多くの洞窟壁画を残していることは事実です。アルタミラの洞窟壁画（**図2**）が描かれたのは、今から一万数千年前のことです。洞窟内部ですから真っ平らな平面ではありません。岩肌は盛り上がったりくぼんでいたり、割れ目があったりして、おそらく太古の人たちは、その自然が生み出した偶然の造形に、象徴される何

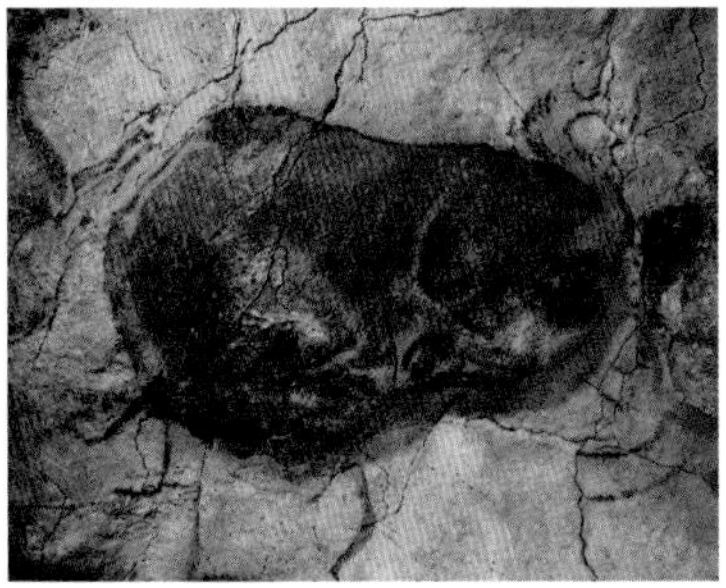

[2] アルタミラ洞窟壁画の「うずくまるバイソン」

割れ目のフォルムや盛り上がった岩の形状を読み取りながら造形されている。

ものかを読み取った。つまりは、当時、食していたであろうバイソンや鹿などの実体的な肉体、さらには生命というものを感知したのではないか。見ていると、非常になまめかしい感じがします。

ラスコーの洞窟壁画（図3）が描かれたのは約二万年ぐらい前で、アルタミラからさらに一万年ぐらいさかのぼりますが、象徴としての大胆な線の使用が認められます。この「線」というのは、われわれ人類が獲得した、言ってみれば脳の機能です。いわゆる感覚情報の中に特徴的なものを読み取って表現していくということがおこなわれています。

フランス南部の辺境にあるショーヴェ洞窟には、現在発見されているものの中では最古級といわれる約三万数千年前の壁画があります（図4）。描かれているのは、おそらくピューマですから、これは食の対象にはならなかったものです。人間も時には襲われることがあったでしょう。そのピューマの一瞬の素早い動きを、この線の描写で表しています。そして動きへの感受性が、生き死にを分けていた時代です。現在、アニメーションが非常に興隆していますが、物体の動きを分析／象徴的に示そうとするアプローチが、とても近似しています。これらの造形に際しては、われわれと同じ脳の使い方をしていたわけです。こういった非常に巧みな表現を、すでに三万年以上前に人類は獲得していました。

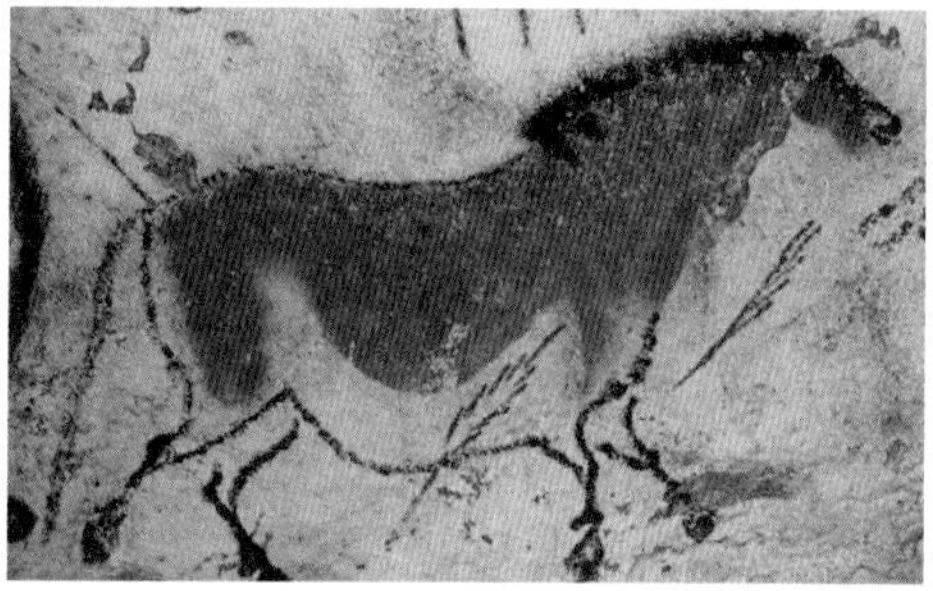

[3] ラスコーの洞窟壁画　「軸状ギャラリー」のウマ

[4] ショーヴェの洞窟壁画　ネコ科の動物

ここで、「美の起源」について考えてみたいと思います。先史学者アンドレ・ルロワ＝グーランの『身ぶりと言葉』（一九六四年〔訳書は一九七三年、荒木亨訳〕）という代表的な著作の一ページに、旧人に相当するムステリアン人の遺物が示されています（**図5**）。何に使われたかわからないオブジェです。挿絵の左のスケッチは、巻貝の化石です。右上はおそらく珊瑚のような物だと思いますが、キャプションには「球状ポリプ群体」と書いてあります。右下のスケッチは黄鉄鉱と書いてあるので、実際には金のようにピカピカ光っていたでしょう。すでにこの時代の人たちは、「美的な物」、要するに「役に立たない」、だけど「形が面白い」、「手触りがよい」、「美しい輝きだ」という感覚をもちあわせていた、と推測します。存在する物自体の美的な価値を見出していた。

　時代は下って、画家モランディがこよなく愛した、ボローニャのサント・ステファノ聖堂を見てみます（**図6**）。時代の異なる七つの聖堂によって構成されていますが、その中に、十一世紀頃に大理石でつくられた小さなモザイク画があります。面白いことに、ボローニャは大理石の産地というわけではありません。しかし、ローマ人たちが建てた

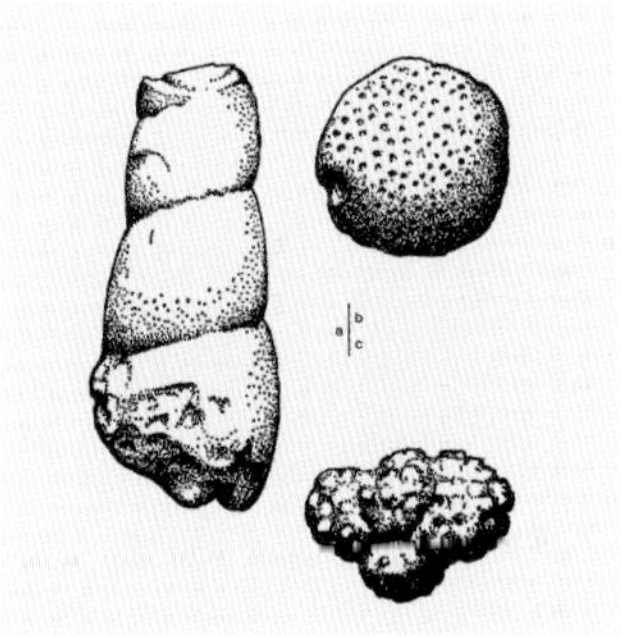

[5] アンドレ・ルロワ＝グーラン『身ぶりと言葉』の挿絵

[6] サント・ステファノ聖堂（イタリア、ボローニャ）のモザイク画

住居が、異民族によって破壊された時の瓦礫があった。それを、ベネディクト派の修道僧たちが一生懸命集めてつくったものなのです。ビザンティン美術にある荘厳なモザイクではない。規則性もあることにはありますが、整合性のある幾何学的なパターンではない。ところが、「これは色が美しくていいいな」、「これとこれを組み合わせるときれいだな」などと、瓦礫を一片一片拾い集めながら何かきれいな構成物をつくろうといった、楽しい呟きが聞こえてきそうです。「野生の思考」にもとづいたブリコラージュ的なおこないであったのだろうと。

このような感覚は十一世紀でも数万年前でも、本質的に変わりがない。

象徴を読み取る子ども

次に、子どもに関連して、絵本『あおくんときいろちゃん』(図7)の話をします。世界中で長く読み継がれている絵本です。主人公の「あおくん」と「きいろちゃん」は、丸くちぎられた青と黄色の紙片で表現されています。目や口が描かれているわけではありませんが、小さな子どもたちはキャラクタライズされたものを読み取って楽しみます。作者のレオ・レオーニは、汽車旅の中で子どもたちが退屈しないように、雑誌を手でちぎって即興のお話しをしたそうです。この経験が、もとになった。

一ページ目は、真っ白な見開きに、青い丸が一つ。そこに「あおくん

[7] レオ・レオーニ
『あおくんときいろちゃん』の表紙
(藤田圭雄訳、至光社、1967年)

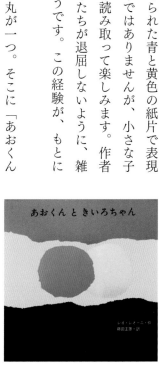

です」のひとことが添えられています。これだけで、もう子どもたちは「あおくん」のお話なんだな、ということを理解します。

どのページも丸や四角などの幾何形態とシンプルな色だけの構成ですが、小さな子どもたちは、そこにいろいろな状況やキャラクターの性格までもを、感じ取っていきます。

そして、この絵本の山場、「あおくん」と「きいろちゃん」が出逢って、「もう　うれしくて　うれしくて」（同書より）、二人がくっついて「みどり」になるページで、子どもたちは、とても柔和な笑顔になります。子どもたちはこの単なる色と形の重なりを、直感的に象徴として受けとめている。つまり青と黄色がまざって緑色になることで他者との融和的な世界が具体化されるということを、象徴化された一つの世界として感じ取っている。そこに「共生的世界」を我が身と一体化している子どもがいます。

一人称の世界

ここからは、子どもたち自身の表現を見ていきましょう。

二、三歳ぐらいになると、それまでの「なぐり描き」からいわゆる「頭足人《とうそくじん》」というものを描きはじめます（**図8**）。丸と直線だけで、いろいろな人物を表現します。**図9**はそれぞれ違う子が描いたものですが、どれも非常に生命感にあふれていていいですね。そう感じられるのは、

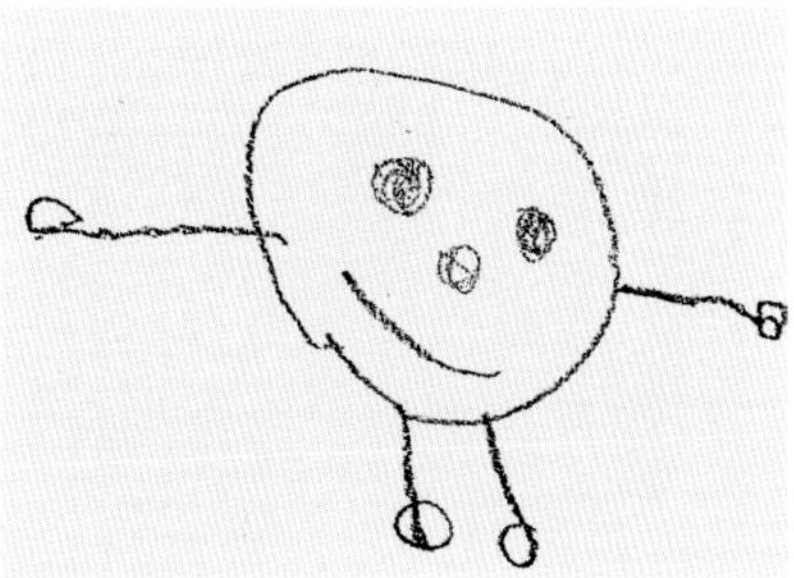

[8]「けいちゃん（弟）」（3歳）

[9] 頭足人のバリエーション

われわれ大人の内なる子どもが共感しているからでしょう。

次は、三歳の女の子が描いたアニミズム表現です（**図10**）。当然ながら、花にも太陽にも顔があるはずはありませんが、子どもは「お花が笑っているよ」とか、雨が降っていれば、「お空が泣いているね」なんていうことをあたりまえのように言ったりします。本当にそのように感じている。私たち大人が世界を対象化し、客観的に見ているのとは異なり、我が身のこととして一人称的に世界を捉えている。中でも私が大好きな例が、「足がサイダーになっちゃった」と言った男の子。ずっと正座していて、しびれてしまったらしいのです。いいでしょう？　語彙が少ないというよりも、実際にそのような感性の中に生きているということではないでしょうか。

次はジョン・レノン眼鏡（?）をかけているお父さんです（**図11**）。お父さんのおひげを触るのが何より面白いのでしょう。そのことをちゃんと点々で象徴しています。

図12は、海外の三歳児さんの絵です。普通の頭足人のように見えますが、実は面白いことに、彼は車を表現したのだそうです。そう思って見ると足が立派です。大人から言えば、車というものを擬人化しているのでしょうが、別の見方をすれば、「一人称化」しているのです。私も、車も、お花も、雨が降っている外の様子も、すべての自然世界が自身と一緒になっている。一人称の世界。子どもたちの世界は、人間が本来もっていた感覚性に満ちあふれていると思います。

子どもの事例ではありませんが、次はアルゼンチンにあるカルガス洞

[11]「おひげ、じょり、じょり」（3歳）

[10]「お花が笑っているの」（3歳）

窟に残された、いわゆるネガティブハンドといわれる手形です（図13）。一説によると、成人式の儀式としておこなわれたものだそうです。岩肌に手を押し当てて、口に含んだ顔料をプッと吹きかけます。その手をはずしたあとに、形が生まれる。これらの手形は非常によく構成されていて、洞窟には、それこそ数千年、一万年ぐらいの間にわたる代々の人たちの手形が存在している。すなわち、このような儀式を通して、時間的、空間的な世界の中の「私」の位置を自覚するのでしょう。世界は、私と祖先やコミュニティとの合一としてある、という時間軸上の共生的な感性に生きていたのではないでしょうか。あわせて、現世への帰属意識といったものが、この行為の中に表れているような気がします。

一、二歳ぐらいの子どもたちが遊んでいるところに絵の具を出しておくと、みんな手にペタペタくっつけて、自然発生的にフィンガー・ペインティングがはじまります。そして、身体がその行為に慣れてくると、やがて脳の内部で、なんらかのイメージを起動させるのだと思います。絵を描きはじめるのです。同様の事例が、多くの洞窟絵画の周辺でも見られるそうです。

子どもたちが活動を終えたら、フィンガー・ペインティングを版画絵として残してあげることによって、子どもたちは、自らのおこないの意味や価値を体感できるようになります。フィンガー・ペインティングの教材的価値が、そこにあると思います。一連のこれらの造形行為は、対象世界を分析し切り刻むことではなく、世界と一体化したいという共生的な思いに根差しているのではないでしょうか。

[12]「くるま、ブーブー」（3歳）

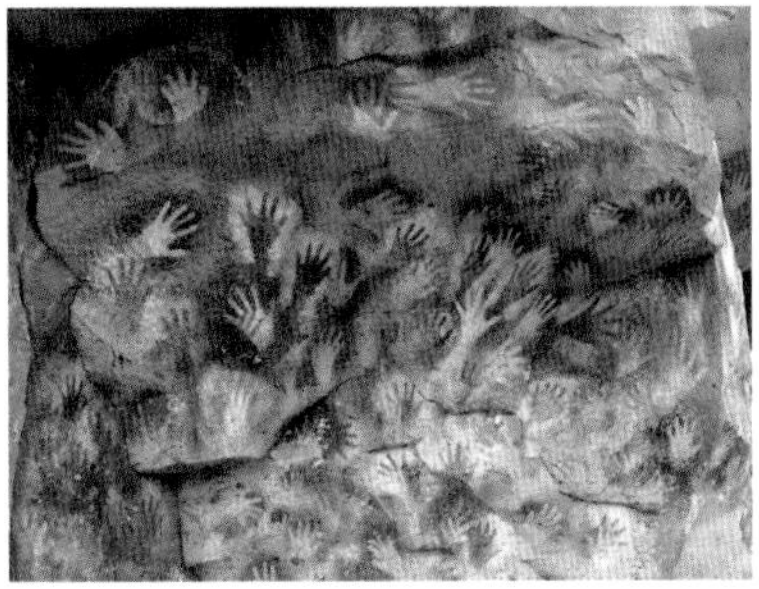

[13] カルガス洞窟に残された手形

[14]「へびくん　あめがすきなの？」（日本、3 歳）

[15]「美しい環境」（スリランカ、15 歳）

世界の子どもたちの作品から

では、つづいて世界の子どもたちの絵を見ていこうと思います。子どもたちの絵は、直感的で、技術的には未熟かもしれません。でも子どもの絵の中には神話的世界や人類が築き上げてきた多くの象徴的意味合いや価値が表象されています。ある意味、アーティストと同質の内容を実践していると言えます。

図14は、日本の三歳児さんの作品です。「へびくん　あめがすきなの？」というタイトルです。私はある児童画審査会でこの絵に出会って、「いいなあ」と感じ入りました。右側に描かれているのは、おそらくサクランボとブドウだと思います。子どもたちはある種の豊穣性とか豊かさといったものを、木の実や果物で表現します。それからヘビも、

子どもの絵にはよく出てきます。そして、雨。自然現象も非常によく描き表します。そういった子どもたちの感じている世界が、この絵の中でしっかりと表現されている。三歳児さんの絵ですが、すでに、いわゆる世界観というものを見出すことができます。

次はスリランカの十五歳、日本でいえば中学校三年生の作品です（**図15**）。これも、鳥、動物、木、そして太陽という、民族の世界観が表現されています。やはり自然が豊かといわれている国々の子どもたちの絵には、自然への希求とか、その位置づけ方が、バランスよく表されているなあ、という感じがします。

次はタイの十一歳の子どもの作品です（**図16**）。とてもカラフルです。動物や魚などの生き物が、たくさん描かれています。リンゴのような木も描かれています。「生命に満ち満ちている」という感じでしょうか。ゴーギャンの絵にもつながるかもしれません。

図17は日本の十一歳の子の作品で、タイトルは「大きなリンゴ」です。描き込んでい

[16]「環境」（タイ、11歳）

[17]「大きなリンゴ」（日本、11歳）

[18]「私の夢の木の家」
（中華人民共和国、９歳）

ます。やはりこの子のテーマも、豊穣性でしょう。先ほどの三歳児さんと同じようにリンゴがもっている豊かさの意味合いを感じます。大きなリンゴを一生懸命に取ろうとしている様子だと思います。良い絵ですね。

また、こんなリンゴの木もあります（**図18**）。世界の豊穣性を、木とその実であるリンゴの関係性でシンボライズしながら、想像性豊かに表現しています。

バングラディシュの九歳の女の子が描いた絵（**図19**）では、一つの平和的な世界として、調和、共生的世界観といった思想が、真ん中に可視化されています。

子どもは、ただ礼賛するだけでなく、批判的な目もちゃんともっています（**図20**）。この子はトルコの男の子。トルコの自然環境がどんな状態にあるか、よく存じ上げておりませんが、タイトルには、「救世主をさがす」とあります。十歳前後の子どもたちが、地球環境への共生的視点や感性をもちながらそれを絵に表すことができる、未来は捨てたものではないということを、この絵から教えてもらいました。

共生的感性に生きる

東日本大震災からまもなくして、ユネスコと、ドイツに本社がある化学会社BASF、そして聖心女子大学が共同で、被災地復興支援事業「心に笑顔」プロジェクトを立ち上げました。その一環として、震災翌年の二〇一二年十一月、陸前高田市にある無住の松月寺で、田窪恭治先生と子どもたちが一緒に《夢リンゴの木》を描きました（**図21**）。まず田窪先生がその木の幹《みき》を描きました。当初、子どもたちは、「このおじさん誰だろう？」みたいな感じでいたわけです。ところが田窪先生がクレヨンを持って描きはじめた瞬間に、子どもたちはまさにそこに身を重ねて「あっ、すごい！」と直感し、そのリアクションとして自分の思いを身体化しようとしました。今度はリンゴの実を子どもたちがさまざまな思いを込めて描く番です。

先ほど紹介した、リント・ステファノ聖堂の僧侶たちがモザイク壁画をつくる際の、

[19]「自然と地球」（バングラディシュ、9歳）

[20]「救世主をさがす」（トルコ、11歳）

[21] 被災地復興支援事業「心に笑顔」プロジェクトで《夢リンゴの木》を描く子どもたちと田窪恭治氏。(2012 年 11 月、陸前高田市、松月寺にて)

「あっ、この色はきれいだな。ここに入れよう」というブリコラージュ的な展開をここにも見ることができると思います。子どもたち、ひとりひとりは異なった人間ですが、「隣の子がこんな絵を描いたから、私は、こういうのも描こう」と、他者の個性を尊重しながら、自分が生きる方策を探る、そういう感覚に満ちていると思います。

子どもたちは、その場にいた人たちの思いを自分の中に取り込んで、さらに創造的に表現していきました。その様子が子どもたちの表情にも現れていました。集合写真の向こうに見えるのが広田湾で、太平洋につながっています。プロジェクトがおこなわれたのは初冬の寒い日でしたが、子どもたちの笑顔と共生的感性にあふれる姿から、この世界はまだまだ大丈夫、という思いを強くしました。

図版出典

[1]『THE BEATLES』、東芝音楽工業株式会社、1970 年頃
[2] アントニオ・ベルトラン他『アルタミラ洞窟壁画』岩波書店、2000 年、p.78
[3] 毎日新聞社・TBS テレビ『世界遺産　ラスコー展』図録、2016 年、p.93
[4] 毎日新聞社・TBS テレビ『世界遺産　ラスコー展』図録、2016 年、p.97
[5] アンドレ・ルロワ＝グーラン『身ぶりと言葉』(荒木亨訳)、新潮社、1973 年、p.353
[7] レオ・レオーニ『あおくんときいろちゃん』(藤田圭雄訳)、至光社、1967 年
[8] 筆者コレクション
[9] H・ガードナー『子どもの描画：なぐり描きから芸術まで』(星三和子訳)、誠信書房、1996 年、p.75 より部分
[10]〜[12] 筆者コレクション
[13] photo: Marianocecowski, https://commons.wikimedia.org/wiki/File:SantaCruz-CuevaManos-P2210651b.jpg
[14]『第 46 回 世界児童画展』公益財団法人美育文化協会、2016 年
[15]『第 15 回 世界こども図画コンテスト入選作品集』JA グループ (一社) 家の光協会、2008 年
[16] 同上、第 19 回展、2012 年
[17] 同上、第 24 回展、2017 年
[18] 同上、第 23 回展、2016 年
[19] 同上、第 18 回展、2011 年
[20] 同上、第 24 回展、2017 年

《黄金の林檎》とこれからの教育

田窪恭治
TAKUBO Kyoji

水島尚喜
MIZUSHIMA Naoki

永田佳之
NAGATA Yoshiyuki

永田　ここからは、《黄金の林檎》と「教育」について話をしていきたいと思います。

先日、学生たちと「《黄金の林檎》には、いくつの林檎が描かれているのだろう？」という話になりました。さきほど田窪先生におたずねしましたが、ご本人もご存じではなかったようです。答えは、二人の大学院生が朝から一生懸命数えてみたところ、二百十一個もの黄金の林檎がたわわになっているということです。これほどまでに多くの果実を稔らせている大樹が突如として都心に現れたわけですが、この樹が、大学という場、聖心グローバルプラザという学びの場において、どのような役割を担ってくれるのか、《黄金の林檎》からわれわれは何を受け取ることができるのか、考えていきたいと思います。本校の教員でもありアーティストである田窪恭治先生ご自身が、どういう思いを込めてこの大作をつくられたのか。とかく理想として語られる傾向にある「共生」ですが、それを実現するミッションを担って今年（二〇一七年四月）誕生したグローバル共生研究所に対して《黄金の林檎》がどんなメッセージを届けているのかということを、これからの大学の教育を意識しながら考えていきたいと思います。

――アートから生まれる、共生的感性。

永田　ここまで、《黄金の林檎》の作者・田窪恭治先生のお話を皮切りに、日本を代表する美術史学者であり、大原美術館館長でもある高階秀爾先生に歴史的な意義づけをしていただき、さらに本学で美術教育を担当する水島尚喜先生に子どもが描くリンゴの意味について語っていただきました。そしてキーワードの一つとして共有されたのが「共生的感性」です。

その共生的感性に引きつけて「溶解体験《ようかい》」について考えてみたいと思います。例えばわれわれ大人は、天の川を見て星座のことを考えたりしますが、子どもたちは本当にミルキーウェイ、つまり「ミルクの川」として天の川を見るわけですよね。そういった体験を生む力は、子どもだけがもっている力なのでしょうか。

水島 おそらく子どもたちは頻繁にそういう体験をしていると思います。世界と我が身がまさに一体となったような感覚体験ということですね。これは別の言い方をすると、複論理的な神話的時間に生きているということでもあると思います。われわれ大人は近代の合理主義の、直線的な時間の世界に生きているわけですが、子どもたちはまさに没頭しながら対象に溶け込んでいく中で、その世界を生ききっていると言えます。そういった意味からいえば、子どもならではの力、子どもだけの世界と言いたいところですが、もう一つ、世界と我が身を重ねないことには成り立たない美術制作、アートの世界があると私は思っています。田窪先生、例えば時間の経過を忘れて絵に夢中になってしまったみたいなことはないですか。

田窪 それは子どものときですか、今ですか（笑）。

水島 今です！

田窪 年齢のせいで昔ほど集中力は続かないのですが、常に描いているときはそれに近いですかね。

永田 無我ということですか。

田窪 いや、そこまではないと思いますが、作品をつくっているときは、電車の中でもバスに乗っていても、歩いていても、常に作品のことを考えているので、溶解体験とは違うかもしれないですが、忘れ物をしたりすることは多いです。

永田 子どもが絵を描いているときに一体化するというか、一体感をもつ力ですよね。そんなことを考えながら先ほどの水島先生の話を聞いているときに、ふとした光景が浮かんできたんです。ちょっと変な話をしていいですか――。

《黄金の林檎》の企画をコーディネートさせていただいている途中、「黄金の林檎の大木が広尾にできる」といううわさを聞いて、たくさんの方から私のところに問い合わせがきました。何人かは、当時は制作途中で工事現場のようでしたが、現地にお連れしました。そのときに、「どうぞ」と言って建物のエントランスに入っていくと、誰もがすーっと吸い込まれるように壁の方に行ってしまうのですね。それを私は後ろからいつも見ていて、「人間は語りかけられる存在なのだな」というのを何度も思いました。多くの方々があの《黄金の林檎》に語りかけられていると思ったのです。そしてしばらく経つと、絵と対話をはじめるのです。

さらに変なことを言っていいですか。黄金だからかもしれませんが、たわわに稔る「黄金の林檎」が、まるで降り注ぐように、訪れた人の、今、このときを祝福している。

そんな場面にいく度か遭遇したことがあります。この「絵のもつ力」とは何なのだろう、と思いました。そこから、溶解体験といったことは、ひょっとしたら子どもだけではなく、アーティストにも、そして見る側にも起こるのかなと思ったわけです。

田窪 作家にも、見る人にも、その空間に一体化されるといったことがあると思います。

私は、先ほど水島先生の話に出てきたラスコーとそれからアルタミラの壁画も見ていますが、洞窟の中に入っていくと本当に何とも言えない一体感を感じます。ダ・ヴィンチが、芸術は「精神のもの」と言っていたとご紹介しましたが、フランスの画家でロマン主義の巨匠ウジェーヌ・ドラクロワは、「絵画とは、画家の魂と、それから見る人、観客の魂の間にかけられる橋である」と言いました。詩人のランボー、音楽家のベートーヴェン、彼らもそれぞれ同じようなことを言っていると、美術史家のルネ・ユイグが『イメージの力』で書いています。画家というのは自我が強いので、いろいろと表現したいと思っていますが、画家の魂と見る人の魂が一つの場を共有しながら一体化するというのが、最も幸せな世界じゃないかと思います。それは音楽でも、演劇でも、いろんなジャンルであり得ると思います。

作家と観衆というのは、個人と個人。生きている人はみんなそれぞれに魂をもっていますが、それが一体化する瞬間に立ち会ったとき、本当に幸せな気持ちになるのではないかと思います。

永田 ということは、私が見た、出くわした、あの「祝福されている」人たちの内側では、田窪先生の魂とご自身の魂が交流していたということですね。《黄金の林檎》はとても深い作品だなとあらためて思えてきました。

水島 例えば子どもたちは金色が大好きです。実は、金色はカラーシステムに属する「色」ではありません。材質の属性に関わる視覚的現象で、色のシステムから外れたもの、スーペリアなもの、イッツ・スペシャルな存在です。子どもたちは、例えば色紙があると、「金色！」と言って、真っ先に取りに行くわけです。そこに何か直感するものがある。卓越したものがそこにあって、そういったものに心が惹かれるのかな。先ほどのムステリアン人たちが黄鉄鉱を集めていたという事例と同じように、そこに一つのスペシャルな美的な世界が現出している。言ってみれば、人間はやはり身体をもつ動物ですから、もっている感覚性とか、五感的な響応性があるわけです。先ほど田窪先生が、石を割りながら、一億年、二億年という時間を現出しているのではないかというお話をされましたが、子どもたちの肉体、身体を通して、まさにそういったイメージ世界が現出されている位相は《黄金の林檎》とも通底する部分なのではないかという気がします。

永田　訪れた人々が作品と対話して、「祝福されている」瞬間を目撃したときには、変な言い方ですが「現代の教会」、または「教会性」みたいなものが、あの空間にあるのかな、なんてことも思いました。

──なぜ石なのか。

永田　《黄金の林檎》には、世界中の石が集められているというお話でした。一つの解釈としては、そういう異なる色、異なる性質の石が集まって、交わらずに一つのハーモニーをつくっているということが「共生」の象徴なのだろうという見方もできると思いますが、なぜ作品は、例えばパステル画ではなくモザイク画なのでしょうか。

田窪　ずいぶん前の話ですが、フランスの文芸批評家ロジェ・カイヨワの『石が書く』というきれいな本を手に入れて、文章ももちろんそうですが、石を割った断面の写真を見て、本当に感動しました。いまだに好きな本です。石は自分でつくることができない。悔しいですが、ダ・ヴィンチもミケランジェロも誰もつくることができません。自分でできない世界というのが絶対あります。ライプニッツ的に言えば、石にも意識（活力）があるのではないか。そういう意味では、この作品で僕は初めて石を使って、ちょっと自分を超えた、遠い夢を見させてもらいました。

永田　人間を超えた存在としての石と向き合って、あの壁画をつくられたということですね。石にはとてつもなく長い時間が集積されている。今回《黄金の林檎》の制作にかかわってくださったモザイク作家の上《うえ》哲夫さんからも石を割るごとにそうした時の流れを感じているというお話を聞いたことがあります。われわれは悠久の時の流れの延長線上、すなわち現代に生きているわけですが、田窪先生はこの大画をつくられたときに現代社会、またはその現代社会の行く末みたいなものを意識されていたのでしょうか。

田窪　先ほどの、作品をつくっているときにわれを忘れるとか、未来について考えるとか、私には、正直言ってまったく想像がつきません。明日のことはわからない。だから、《我々はどこから来たのか、我々は何者か、我々はどこへ行くのか》という絵を描いたゴーギャンはすごいなと思っているのです。私は、過去と現在については感じることができる。しかし、未来についてはどこへ行くのかちょっとわからない。

　日本では一九七〇年頃からすごく時間がタイトになって、二十四時間街中に電気がついていて、非常にせわしない時代になってきた。知性とか理性は進化しているのかもしれないですが、感覚・感性・情熱といったものが薄らいで、窮屈な時代になってきているのではないかという気がしています。これは僕らの年代、僕らよりちょっと上の先輩たちは、特にそう感じているかもしれません。文学もそうですが、戦前戦後に、先輩たちがいろいろな文化を築いてくれたと思います。今は生活すべてが便利になってはいますが、昔と違って、芸術、そして感性といったものについては、ちょっと劣勢な時代かなという気がします。特に、表現行為における未来を予測することが私には難しい。現代を「第四次産業革命」の時代などと言っている経済学者もいますが、私は、十八世紀の産業革命以前の人々が現代を想像できなかったように、明日のことについて非常に推測しづらいと思いますね。

――教育を考える、「四つ目の林檎」。

永田　「感覚・感性・情熱」が希薄な、非常に窮屈な時代であり、われわれはその中に生きているのだという言葉がとても印象に残りました。

さて、実は先ほどの「溶解体験」も、今、田窪先生がおっしゃった「感覚・感性・情熱」についても、現代の教育が取りこぼしてきた、または意図的にどこかに置いてきてしまったのではないかという気がしてなりません。学校教育も大学教育も長らく続いてきた知識習得中心の学習の反省から、近ごろはアクティブ・ラーニングやＰＢＬ（プロジェクト・ベースト・ラーニング）の重要性が唱えられるに至りました。水島先生がおっしゃった共生的感性を育む教育と、対象を理性的に隔て分けて分析するような伝統的教育の在り方はまったく異なると思いますし、アクティブ・ラーニングやＰＢＬとも違うかもしれません。《黄金の林檎》という大作を、現代における大学という教育の現場で、どのように生かしていくことができるでしょうか。

水島　まず具体的には、《黄金の林檎》を見に来てもらう。何よりも、体験してもらう。そこからすべてが始まりますので。われわれは、非常に浮ついたイメージの断片の中でこの情報化社会を生きていると思います。本来、実際に「感覚する」という尊いものがあって、そこからすべてを立ち上げなければ社会というものは成り立たないはずなのですが、そこが非常に脆弱になっていると思います。そのあたりの話をはじめると時間が足りなくなってしまうので割愛しますが、近代の装置としての学校というのは目的意識に則って、解答があるというところを最終地にしながら、すべての教科を推進してきた側面があります。解答に当てはめる生き方ではなく、人間が人間として主体的に生きていくために本来どうあるべきか、今一度ここで、何のために教育が在るのか、また、その方法論みたいなものをこれから模索していかなくてはならない、そのための素晴らしい教材を提供していただいたと思っています。

永田　人間が人間として生きていく「存在」のための教育、つまり人間として在るための教育が大切なのだということですね。

　近年は、大学教育ですら、人間が何かになるための、また何かをするための教育に偏重してしまって、変わってきている現実があると思います。「人間が人間になるための教育」とは、ユネスコが「Learning to Be」、「人間存在を深めるための教育」として一九七〇年代から主張してきたことです。グローバル時代の今、なおさら、知識やスキルを身につけるための技術教育ではなくて、「存在」のための教育が必要なのだということを、グローバル化に危機感を抱くユネスコの専門委員が声をからして語っていたのを思い出しました。

《黄金の林檎》があるこの建物に入る左側には、「BE＊hive」（ビーハイブ）という名の展示・ワークショップのためのスペース、学びの場があります。林檎の花にむらがる蜂をイメージして「Beehive」（蜂の巣）と重ねているのですが、「Bee」（蜂）ではなくて「BE」、つまり人間存在を育むという想いが込められた場なのです。聖心グローバルプラザは、人間存在を深めるための学びや教育をおこなっていく存在でありたい、そういう願いからこの名前が生まれました。《黄金の林檎》がせわしない日常をすごす私たちを立ち止まらせ、存在レベルでの出会いがあり、すなわちそれまでの人生で出会ったことのないような異質なものとの出会いをもたらすきっかけとなり、「BE＊hive」で学びを深めていく、そんな教育が求められていると思いました。ちなみに「BE＊hive」のロゴですが、壁画の中の一つの林檎の実の形をもとに「・i」の文字のドットがつくられています。今度ぜひ、どの林檎なのかを当ててみてください。

田窪

さて、文部科学省をはじめ、アクティブ・ラーニングという「主体的・対話的で深い学び」の重要性が叫ばれている昨今ですが、田窪先生は、人間存在を深める教育、または「本当の学び」ということについて、どのようにお考えでしょうか。

私は教育について何か言えるような立場ではありませんが、先ほどの高階先生の「世界を変えた三つの林檎」のお話のつづきとして、四つ目の林檎がはたして遺伝子操作で生まれることになるのか、気になっています。先ほど「第四次産業革命」について少しふれましたが、もうドイツなどではそれを先駆けてやっている。IoT (Internet of Things)、要するに、モノのインターネット。だけど私はその一方で、現場に出向いて行って、直に体験して感じる教育というのが必要なのではないかと思っています。

私は、制作のために各地を見てまわりましたが、同じように十七〜十八世紀のヨーロッパには「グランドツアー」というものがありました。ゲーテは『イタリア紀行』を書いたし、時代が下れば、和辻哲郎の『イタリア古寺巡礼』もある。もちろん、創造的で新しいことを考えていくというのも大事なことですが、一方で、ギリシャ神話や聖書のものがたり、洞窟壁画からクラナッハ、ルーベンス、セザンヌ、そしてゴーギャンから現代へ、といった人類の歴史、われわれへとつながる人々の魂を直接聞き取るような教育というのが必要だと思うのです。

私には、先ほど高階先生が紹介してくださった作品のひとつひとつが、例えば、「林檎の実」のように思えるのです。だから、いつの時代にか、小学生とか、中学生とか、高校生とか、聖心女子大学の学生さんとかが作品を見に来たときに、あの鉄の床の上に、ころんと「林檎の実」が落ちているのを見つけてくれる、そんな情景を想像しています。

抽象的で申し訳ないのですが、ラスコーの壁画が描かれる前の人類も、あの洞窟の向こうに何かを見つけていたのではないでしょうか。そしてあるとき誰かがそこに絵を描き、さらにその後の人々がイメージを重ねていった。「人と自然との交感」。私は、これがベンヤミンの言うアウラではないか思います。感性とか感情を超えた存在、ライプニッツが言ういわゆる「何だかわからないもの」をいつも頭に置きながら、この聖心グローバルプラザが感性の容器になってもらえれば嬉しいなという気がします。

永田　ベンヤミンの言うアウラは作品のもつ真正性、すなわち存在の重みみたいなものとして捉えることがあるのですが、そういうものの重要性を教育の中で、われわれがどうやって受けとめて、学生たちが感じ取っていくことができるか……。グランドツアーもそうだと思いますが、遊び——創造のための「余白」とも言えるでしょうか——、そういったものが、いつの間にか教育から消えつつあるということを、田窪先生の言葉や《黄金の林檎》から教えてもらっているのかなと思いました。どういうふうに、いわば「本物の教育」を創っていくかという問いを《黄金の林檎》は投げかけてくれているのでしょう。

永田　冒頭で「林檎はいくつあるのか」という質問をしましたが、最後に田窪先生に、もう一つ、興味をそそられる質問をして、今日はお開きにしたいと思います。

「《黄金の林檎》に種はありますか?」

田窪 評論家・花田清輝の『アヴァンギャルド芸術』の中に、「林檎に関する一考察」という一文があります。岡本太郎がある画家に「林檎のなかにイデオロギーがはいっているかどうか」と問われて、「イデオロギーはとにかく、そのなかに種のはいっていることだけはたしかである」と答えたという話で始まって、セザンヌの林檎とダリの林檎、最後はウィリアム・テルが矢を射った瞬間と矢の刺さった林檎に収斂して章が綴じられます。私としては、花田の林檎論の中に種が見えないので、そこがなんとなく喉に引っ掛かっていました。

それが今日の、高階先生の「林檎をめぐる文化論」というご講演をうかがって、林檎について「罪」のシンボルから「美」のシンボルへ、そして「争い」のシンボルから私の林檎の作品を「生命」のシンボルへと評していただいたことで、やっと私の喉仏から林檎のイデオロギーがとれた気がします。ですから、私の《黄金の林檎》の中に種はあるかと聞かれたら、「ない」というのが答えです。種をつくれるのは、おそらく壁画を見てくださる方々だし、私たちがかけた橋を渡って感受性を共有する人たちが出てきたときに、そこで初めて種ができて、またどこかで実がなっていくのではないかと思っています。明日の見えない作家なので、今は《黄金の林檎》に種は入っていません。

永田 今のお話に関連して、たしか、どこかで詩人が言っていたことを思い出しました。もし種というのが「生産性」の象徴であるとすれば、「大学というのは、この社会の中の生産関係から孤島のように浮かんでいることが大切なのだ」と。大学がそういう存在でいられるか否かが、壁画《黄金の林檎》、そして田窪先生と高階先生と水島先生が伝えてくださったメッセージからわれわれが受け取った「宿題」なのかなと思います。

《黄金の林檎》の樹の下で

社会への拡がり

水島尚喜
MIZUSHIMA Naoki

聖心女子大学の四号館、聖心グローバルプラザにモザイク壁画《黄金の林檎》が誕生してから、二〇二一年の春で四年を迎える。作者の田窪恭治先生は《黄金の林檎》が完成したとき、今はまだ《黄金の林檎》に種は入っていない、種をつくれるのは、モザイク壁画を見て、感受性を共有した人たちであると述べられていた。この間、樹は社会へと派生し、いろいろな場に種が撒かれていった。《黄金の林檎》にインスパイアされてどのような活動が展開し、社会的な拡がりをみせたのか、その中のいくつかを紹介したい。

学生たちが育てた種から
文化プログラム「笑顔の林檎」

二〇一八年八月二五日、東京・渋谷にある国連大学を会場として、「MERRY SMILE SHIBUYA for 2020」というイベントが開催された。二〇二〇年に開催予定だったオリンピック・パラリンピックに向けた渋谷区の文化プログラムで、年齢、性別、国籍、障がいの有無を問わず、多様な個性をもつ人たちが集合して、笑顔で交流する。パフォーマンス、ワークショップ、展示などの参加型コンテンツを通して、個性のちがいを「笑顔の力」に変えていく、という趣旨であった。その中に、渋谷区内の大学生たちが連携し、各大学の特色を活かして出展する「区内大学連携企画テント」というエリアがあった。そこに応募したいとの相談を、聖心女子大学の学生有志六名——中島世奈さん、鳥丸亜佳梨さん、植森花さん、宮田佳奈さん、斎藤理子さん、向井真理さん——から、もちかけられた。

学生たちは、イベントの目的と聖心女子大学のアイデンティティを自覚した上で、モザイク壁画《黄金の林檎》をイメージソースとした造形活動を創案した。来客がひとり一枚の「笑顔の林檎」を描き、それを学生が描いておいた樹の枝に貼っていく。ひとりひとりの笑顔を林檎の実にシンボライズさせて、それを一本の樹として統合する。——企画は採用され、皆でつくった笑顔の林檎の樹は、会場のシンボルツリーとなった。

子どもたちが撒く種
生命のつながりに思いをめぐらせる鑑賞教育

《黄金の林檎》は、近隣の小学校の鑑賞教材としても位置づいている。子どもは、この作品を食い入るように鑑賞する。子どもの感受性は鋭い。とくにこのモザイク壁画に対しては、小さい子も、高学年の子どもたちも、目を見開き感応力を全開にしているように見える。

一つには世界中から石が集められているということに関しての興味があるだろう。さらにその石のひとつひとつが何億年もかかってできていて、これからもずっと遺っていくこ

［右頁］近隣の小学校から鑑賞授業で訪れた小学生と語り合う田窪恭治氏。

〔上〕「MERRY SMILE SHIBUYA for 2020」でシンボルツリーとなった「笑顔の林檎」。《黄金の林檎》が、イメージソース。さまざまな笑顔が楽しい。（二〇一八年八月二五日、国連大学）

〔右〕来場者それぞれが創案した笑顔のデザインを貼っていく。

〔左〕《黄金の林檎》を教材とした小学校の鑑賞授業。壁画にインスパイアされて自身が描いた「黄金の林檎」を作者とともに鑑賞する子どもたち。

大学での授業風景。「創作絵本の読み聞かせ」（右：造形概論）と、「創作話の発表会」（左：保育方法論）。《黄金の林檎》に包まれてのプレゼンテーションは、とても雰囲気がある。

［上］公開講座「アラブ古典音楽を楽しむ夕べ」で演奏する「Le Club Bachraf（ル・クラブ・バシュラフ）」。エントランスは独特の音色につつまれ、参加者は皆、中東に思いを馳せた。（二〇一九年五月三一日、グローバル共生セミナーのシリーズ「音楽と共生」第三回、主催：聖心女子大学グローバル共生研究所）

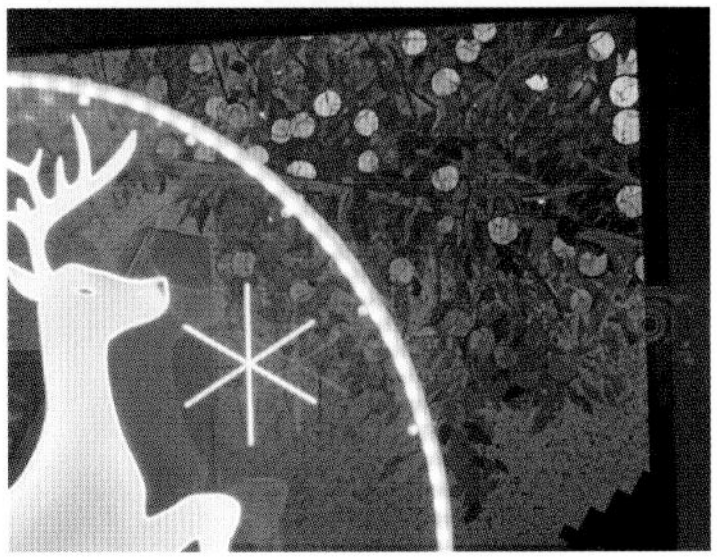

［下］夜の聖心グローバルプラザのエントランス。吹き抜けの中二階には談話スペースがある。クリスマスにはイルミネーション越しの《黄金の林檎》を眺めることができる。

命のつながり
今，そして過去から未来へとつながっていく命に思いをめぐらせてつくられた作品があります。

世界中の自然石をくだいてできた，さまざまな小さなかけらが集まって，1まいの絵になっています。命の多様性や共生の大切さへの思いがこめられています。

初めに見た時には，一つの木からたくさんのリンゴという命が生まれていると思いました。近くで見てみると，リンゴも，その周りの光や空気も，形のちがうたくさんの石のかけらからできていて，一つの命もたくさんの命からできているように感じました。

1まい1まいの石が何億年もかかってできていると聞いて，このリンゴの木が何億年も生きているように感じました。この作品がこれからずっと残っているのなら，未来にこの作品を見る人とつながっているように感じて，不思議な気持ちになりました。


図画工作科教科書のページから。未来へつながる作品のメッセージとして「生命」、「共生」が示されている。このページの下段には岡本太郎の《太陽の塔》が掲載されている。（『図画工作 5・6上 見つめて 広げて』、日本文教出版、二〇二〇［令和二］年、五七頁より部分）

とに思いを馳せ、遠い将来に壁画を見るであろう〝未来の人〟とのつながりを想像している。そして、何よりそのモザイクの物質感に感応しているのである。フィジカルな物質感そのものが、子どもたちの身体と共感し、シンパシーを形成する。子どもたちを見ていると、目の前に広がる《黄金の林檎》の圧倒的なマテリアルの中に自分の身を重ね、瞬間、絵の中にすーっと入っていくような気がすることがある。

　壁画の足下にはちょっと抵抗感のある鉄のブロックCORQ®（コルク）が敷きつめられており、歩くとゴロゴロと音がする。その金属の塊《かたまり》から伝わってくる足裏の感触には、なかなか趣深いものがある。子どもたちが鑑賞する際には、触れることも一つの体験であるから、金箔以外の部分は触って良いことになっている。その際、子どもは全神経をその小さな手先に集中し、やさしくやさしく触ろうとする。石という存在に敬意を払いながら、石との心的、かつ身体的交換をおこなっているように見える。ひとつひとつの石をていねいに触りながら、「すごい！ ゴツゴツしてる」とか、さまざまな反応を発する場面に、何度も遭遇した。これは大人には、なかなかできないことだ。大人は分析的に触知しようとする。これは何々だとか、分析的に切り分けていくようなものの見方をするものだ。

　二〇〇二年（平成十四年）の高校美術の教科書（『高校美術2』、日本文教出版）には、田窪先生の《林檎の礼拝堂》が取り上げられていた。人々と自然、そして歴史性とが交わり、後世に伝えるべき作品「風景芸術《林檎の礼拝堂》」が生まれた経緯が紹介されていた。当時高校生で、「あの作品はインパクトが強かった」、「あのページで美術の広がりを知った」という美術関係者が少なからずいる。教育の文脈から未来への架橋がなされたのである。作品との出会いに、アートと教育的な営為の共生的な可能性が示されているように思う。

　さらに、《黄金の林檎》の鑑賞の様子も、二〇二〇年（令和二年）の図画工作科の教科書（『図画工作5・6上 見つめて 広げて』、日本文教出版）に掲載されている。「形や色に思いをこめて」と題して、岡本太郎の《太陽の塔》など、過去や未来、さまざまな願いや思いがこめられた作品が紹介されている。子どもたちは、想像をめぐらせ、人間の文化を生み出した根源にある「思い」を共有する中で、未来を形成していく。《黄金の林檎》は、人間が形成しうるイメージの豊かさを示し、未来を担っていく子どもたちにとっての〝道しるべ〟となることだろう。創造することの豊かさを、子どもや見る人へ、開示しているのである。《黄金の林檎》は、未来につなぐ命、生命のつながりというものを直接的に可視化した存在とも言えるのである。

創作発表の場として

豊穣な「ステージ空間」

大学の授業では、《黄金の林檎》が設置されている空間を、創作に関連した授業の発表の「場」として用いることがある。「造形概論」の授業でつくった創作絵本の発表や、「保育方法論」での創作話の発表など、さまざまである。

その際、一般の大教室などで発表するのとまったく異なり、サイトスペシフィックな場のもつ力が大きく作用するように感じる。《黄金の林檎》の存在性が発表者に大きな力を与えているのである。即物的な観点で言えば、無機質の石や金属で形成されている空間であるが、実際にその場に立つと、大きな樹に包み込まれているような安堵感がある。そのような雰囲気や空気感が、発表をより豊かに広げるのである。このことは、学生の創作絵本の読み聞かせ発表会をおこなってみて、身をもって知った発見であった。

肉体的身体をもった人間は、あきらかに場や空間に影響される。場によって、発表の質が変化するのである。発表する側の意欲も変わるし、大教室のがらんとした無機質な空間とは異なり、包まれているような、やさしい雰囲気がその場に漂う。受けとめる側は子どもの頃に戻って、安心できる大人に大きな木の下で絵本を読んでもらっているような感じがするのであろう。今のところ大学の授業内での発表会にとどまっているが、外部の子どもたちや大人たちの発表の場としてもふさわしい。

また、音楽会も複数回開催されている。環境にある石材や足下の鉄が影響しているのだろうが、適度の残響があり、音響がなかなかに素晴らしいのである。ちょうど、太古の人々が洞窟の中で石筍《せきじゅん》、石のつららを打って演奏していたように。太古の音の響きのごとく何かしらを彷彿とさせるのである。

《黄金の林檎》はすでに大学の〝一部〟になっている。壁画があるのは大学の建物の、言ってみれば通路にすぎないが、渋谷駅にある岡本太郎の壁画《明日の神話》と同じように、人々が行き交う場に、この作品が日常的にあることの豊かさを思う。しかもそれが閉ざされていない。隣にあるカフェレストラン「La Mensa jasmin」（ラメンサジャスミン）も、展示スペース「BE＊hive」（ビーハイブ）も一般に公開されており、誰でも自由に出入りできる。夜は、明かりに照らされた壁画に誘《いざな》われるようだし、クリスマスのイルミネーション越しに見る壁画も評判が良かった。

《黄金の林檎》は、成長しつづけている。

おわりに

一九四〇年、フランス・ラスコー洞窟付近で探検遊びをしていた四人の少年は、暗い洞穴の中で岩壁一面に描かれた絵を発見しました。行方不明となった愛犬ロボの捜索中の出来事でしたが、小さな洞穴の入り口に潜り込んだ子どもたちは、その先にあったおよそ二万年前に描かれたアートの始原と出会うことになったのです。暗闇の中に突如として現れた絵画群に触れた子どもたちの昂《たかぶ》りは、いかほどだったでしょうか。当時の高揚感は、ハンス・バウマンのドキュメント『大昔の狩人の洞穴』（澤柳大五郎訳、岩波書店、一九五五年）に詳細が記されていますが、ラスコー壁画との出会いは、その後の四人の人生も大きく変えてしまうことになります。

一方、モザイク壁画《黄金の林檎》は、二〇一七年に完成しました。その壁画作品がある場所は、数年間主人のいない状態が続いていました。完成の前年まで、太陽光も電灯光も差し込まない洞穴のような薄暗い空間だったのです。そこに光が差し込み、林檎の樹の創世記がスタートしました。真正のアートは、感性にコミットし、意識の変容をもたらすものです。《黄金の林檎》は、実体的な木の再現ではありませんが、大学施設の象徴として読み取られ、共有されながら、コモンスペースの中で今も成長を続けています。

「初めに見た時には、一つの木からたくさんのリンゴという命が生まれていると思いました。近くで見てみると、リンゴもその周りの光や空気も、形のちがうたくさんの石のかけらからできていて、一つの命もたくさんの命からできているように感じました。」

作品をみた小学五年生の感想文です。「みる」ことは網膜上に結像することだけでなく、そこから価値的な行為としての「観る」がなされます。畏怖や聖なる感情が湧いてきます。それらは観る側の経験等によって新たにその場で生み出され創造された内容です。種が撒かれ内面化され、はじめて黄金の木の存在に触れた――この児童は、作品の「生命」に触れたのです。

近代以降の教育システムは、つくづく生産性の強迫観念に突き動かされてきたように思います。ロゴスに基づいた計画性や効率性の中で、「生きられる時間、空間」が教育の場から希薄化しつつあります。一方では、生命の宿った豊かな場を共有し、ピシュスとしての自然に基づいた共生的行動原理が求められる時代です。過去において人類は、さまざまな災禍に遭遇しましたが、トライアル・アンド・エラーを繰り返しながら、状況を打開し新しい文化や価値を創生してきました。このような実験的な知性の推進力は、現世人類が本来もっている「遊び」、「美」や「聖」といった価値への志向に、その出自があります。アートの存在に触れ、ラスコー壁画を発見した子どもたち同様、感動的な出会いがあること、これほど大切なことはありません。

本書は、美術家・田窪恭治氏と美術史家の高階秀爾氏の出会いが縁起となっています。そして、著者名に「聖心女子大学」とあるのは、本書のコモンな性格を示しています。この一回性のドキュメンテーションが、《黄金の林檎》のように未来に生きる人たちへ向けられた「種《たね》」となることを願って止みません。

出版にあたりまして髙祖敏明聖心女子大学学長、岡崎淑子前学長、大橋正明グローバル共生研究所所長より多大なご支援と特段のご配慮をいただきました。

壁画にふれた子どもたち、学生の皆さん、一般の方々、貴重な制作過程や作品を記録し、写真をご提供くださいました田窪大介氏、本学の猪野純恵さん、全精力を傾けて下さった三元社の山野麻里子さん、まことにありがとうございました。

ご関係の皆様へ、心より感謝を申し上げます。

二〇二一年二月

水島尚喜

[著者紹介]

田窪恭治（たくぼ・きょうじ）

美術家。多摩美術大学客員教授、聖心女子大学招聘研究員。1949年生まれ。多摩美術大学在学中の1971年に初の個展「イメージ裁判」を開催しポストもの派を代表する作家として注目をあびて以降、国内外で活躍。1984年、第41回ヴェネチア・ビエンナーレ参加。1987年、建築家・鈴木了二と写真家・案齊重男との協働プロジェクト《絶対現場1987》。1989年、フランス、ノルマンディ地方にあるサン・ヴィゴール・ド・ミュー礼拝堂再生プロジェクトのために一家でフランスに移住し、11年がかりで《林檎の礼拝堂》を完成。フランス政府より芸術文化勲章オフィシエを授与される。帰国後は、香川県金刀比羅宮の「琴平山再生計画」（2000～11年）、聖心女子大学のモザイク壁画《黄金の林檎－Le Pommier d'Or－》（2017年）など、作家が不在となったあとも「表現の現場」として生きつづける“風景芸術”を展開。著書に『林檎の礼拝堂』（集英社）、『表現の現場：マチス、北斎、そしてタクボ』（講談社）など。

高階秀爾（たかしな・しゅうじ）

美術史家、美術評論家。大原美術館館長、公益財団法人西洋美術振興財団理事長、東京大学名誉教授。1932年生まれ。東京大学教養学部卒業後、同大学院在学中にフランス政府招聘給費留学生として渡仏、パリ大学付属美術研究所及びルーヴル学院で近代美術史を専攻。東京大学文学部助教授、同教授、国立西洋美術館館長等を経て現職。2000年、紫綬褒章受章、2001年、フランス政府からレジオン・ドヌール勲章シュヴァリエ授与。2002年、日本芸術院賞・恩賜賞。2005年、文化功労者。2012年、文化勲章受章。2015年より日本藝術院会員。ルネサンス以降、現代美術にいたるまで、洋の東西を問わず広範な領域に造詣が深い。『ピカソ　剽窃の論理』、『名画を見る眼』、『ルネッサンスの光と闇――芸術と精神風土』（芸術選奨文部大臣賞受賞）、『ゴッホの眼』、『日本人にとって美しさとは何か』、訳書にケネス・クラーク『ザ・ヌード――裸体芸術論－理想的形態の研究』（共訳）など、著書・訳書多数。

水島尚喜（みずしま・なおき）

聖心女子大学教授。1957年生まれ。東京学芸大学大学院修了後、山形大学助教授等を経て、1997年より現職。その間、美術科教育学会代表理事、全国大学造形美術教育教員養成協議会会長、公益社団法人日本美術教育連合理事、文科省学習指導要領作成協力者（小学校「図画工作」・中学校「美術」）、ローハンプトン大学（英）客員教授など。現在、日本美術教育研究会会長、公益財団法人美育文化協会理事、NPO法人CCAA理事、公益財団法人才能開発教育研究財団評議員、日本色彩教育研究会監事、文科省検定教科書「図画工作」代表著者、JICAカンボジア王国芸術教育支援事業芸術教育プログラム作成に関するアドバイザリー・グループ委員など。著書に『造形教育実践全集』（日本教育図書センター）など多数。訳書にE. W. アイスナー『美術教育と子どもの知的発達』（共訳、黎明書房）。近年は、美術文化と子どもの造形行為のミッシングリンクを埋めるべく、海外における教育支援活動にも力を入れている。

永田佳之（ながた・よしゆき）

聖心女子大学教授（博士）。聖心グローバル共生研究所副所長、日本国際理解教育学会副会長、認定NPO法人フリースペースたまりば理事、学校法人アジア学院評議員、一般社団法人Earth Companyアンバサダー、JICA草の根協力支援型事業「公立学校を拠点としたゴミ問題解決のためのグリーンユース・コミュニティ形成事業（スリランカ）」代表など。「国連ESDの10年」以後、ユネスコ本部の専門委員としてESD（持続可能な開発のための教育）の推進に15年間ほど従事し、国内外の若者と気候変動などの地球規模課題に足元の暮らしから取り組む。共著書に『気候変動の時代を生きる：持続可能な未来へ導く教育フロンティア』、監訳書に『ハーモニーの教育：ポスト・コロナ時代における世界の新たな見方と学び方』（共に山川出版社）、『変容する世界と日本のオルタナティブ教育：生を優先する多様性の方へ』（世織書房）、『新たな時代のESD：サスティナブルな学校を創ろう―世界のホールスクールから学ぶ』（共著、明石書店）など。

本書は、2017年6月23日に聖心女子大学で開催されたシンポジウム「聖心女子大学グローバル共生研究所 創設記念プレ・イベント「黄金の林檎（Le Pommier d'Or）」完成記念シンポジウム　自然との共生 ― 古今東西」の報告書をもとに大幅な加筆をおこない、書き下ろし原稿を加え編集したものです。

下記、お名前を記して謝意を表します（敬称略）。

［写真撮影］
田窪大介：p.12, 14, 15, 17, 25（「CORQ®」）, 27, 44, 45, 66
遠藤純：p.49

［写真協力］
小平寧々、後藤田由紀、小林美穂、東京成徳大学（細田成子）、日本文教出版株式会社、ピノキオナースリースクール（大谷弓子）、港区立笄小学校（江原貴美子）、目黒区立五本木小学校（鈴木陽子）、Le Club Bachraf

《黄金の林檎》の樹の下で
アートが変えるこれからの教育

発行日　二〇二一年三月二〇日　初版第一刷発行
著者　田窪恭治・高階秀爾・聖心女子大学
編著者　水島尚喜・永田佳之
発行所　株式会社 三元社
〒一一三-〇〇三三
東京都文京区本郷一-二八-三六　鳳明ビル一階
電話／〇三-五八〇三-四一五五
ファックス／〇三-五八〇三-四一五六
印刷所 製本所　モリモト印刷 株式会社

©TAKUBO Kyoji, TAKASHINA Shuji, University of the Sacred Heart, Tokyo
MIZUSHIMA Naoki, NAGATA Yoshiyuki,

ISBN978-4-88303-527-4
http://www.sangensha.co.jp/